CUISINE FAMILIALE

C.I.L.

Sommaire

COMPAGNIE INTERNATIONALE DU LIVRE
© 1982 Hennewood Publications limited.
© 1983 C.I.L. Paris, pour l'édition française.

La diversité au quotidien

Cuisiner chaque jour pour deux, trois, quatre personnes, et quelquefois plus, implique une certaine organisation. Si l'on travaille à l'extérieur, le problème n'en devient que plus difficile à résoudre.

Pour faciliter votre vie quotidienne, nous avons créé ce volume ; vous y trouverez des recettes, toutes mises au point pour quatre ou six personnes — et quelquefois plus s'il s'agit de pâtés ou de terrines. Ces recettes sont, en règle générale, faciles à réaliser. Elles peuvent être confectionnées en quelques minutes ou, au contraire, demander un long temps de préparation et de cuisson ; dans ce second cas, elles pourront, le plus souvent, être réalisées en deux temps : la préparation (marinade, par exemple) la veille, et la cuisson le lendemain. Ou encore, la préparation et la cuisson se font la veille et, le lendemain, il ne reste plus qu'à réchauffer le plat terminé (cette méthode est particulièrement bien adaptée à tous les plats mijotés — comme les daubes, par exemple — qui sont encore meilleurs après un temps de repos).

Vous trouverez aussi dans ce volume deux pages réservées à des menus : menus de tous les jours et menus de fêtes, réalisés exclusivement à partir des recettes proposées dans ce volume, et toujours suivis de quelques conseils (qui ont trait le plus souvent à la préparation).

Savoir s'organiser

Comme nous l'avons vu plus haut, pour réussir une cuisine quotidienne diversifiée, agréable et surtout familiale, il est primordial de savoir s'organiser. Cette organisation passe bien sûr par les achats que chaque ménagère se doit de faire plusieurs fois par semaine.

— **Les achats de base** : conserves, produits surgelés et produits secs. Ces achats sont le plus souvent réalisés dans une grande surface, deux à quatre fois par mois, selon les familles. Il s'agit de produits tels que l'huile, la farine, les pâtes, le riz, la semoule, le lait concentré, les fruits au sirop, la confiture, les légumes en boîte (petits pois, haricots blancs) ou surgelés (haricots verts, jardinière de légumes, cœurs d'artichauts, carottes), les tomates en conserve, les légumes secs (haricots blancs, lentilles, pois chiches), les fruits secs et les fruits confits... Dans les produits surgelés, pensez à la viande, à la volaille et aux poissons, et n'oubliez pas non plus les pâtes feuilletées ou sablées, ni les jus de fruits (orange et pamplemousse), excellents pour préparer toutes sortes de boissons, mais aussi des sorbets et des glaces.

— **Les achats complémentaires** : produits frais. Ce sont les produits que l'on va conserver dans son réfrigérateur pendant un temps plutôt court : beurre, crème, lait, fromages (il faut distinguer les fromages que vous utiliserez pour la cuisine, du type gruyère ou parmesan, et ceux qui seront consommés en fin de repas : les premiers se conserveront au froid, dans un récipient fermé hermétiquement, les seconds seront le plus souvent laissés à l'extérieur ou, s'il fait vraiment chaud, au réfrigérateur, dans la partie la moins froide — mais il faudra les sortir du réfrigérateur une heure au moins avant de les déguster. Enfin, il ne faut pas oublier les fruits, les légumes, les fines herbes, les poissons, crustacés ou fruits de mer, les vian-

des et les volailles. Ces produits doivent être achetés très frais et ne seront conservés que peu de temps avant d'être consommés. Les légumes, tout comme les fruits, perdent très vite leurs vitamines lorsqu'on les garde trop longtemps après la récolte ; et, à l'achat, ils ont déjà perdu une partie de leurs propriétés. Les viandes et volailles ne peuvent être conservées plus de deux jours au réfrigérateur ; quant aux poissons et autres produits marins, il faut les déguster le jour même de l'achat.

Les fromages

Vous n'oublierez pas d'inclure dans vos menus, les fromages, fleurons de notre pays. Ils sont nombreux ; on dit même que l'on trouve autant de fromages que de jours dans l'année ! Quoiqu'il en soit, préparées avec du lait de vache, de chèvre ou de brebis, 151 variétés sont commercialisées sur tout le territoire.

On classe les fromages selon leurs types :

1. Les fromages à pâte fraîche : ce sont des fromages frais obtenus à partir d'un caillé plus ou moins égoutté, et n'ayant subi que la première opération de fabrication : le caillage. On peut citer les petits-suisses, les demi-sel, les fromages vendus en faisselles.

2. Les fromages à pâte molle : cette catégorie se subdivise elle-même en trois groupes :

• *les fromages à pâte molle et à croûte fleurie,* appelés ainsi à cause de leur croûte formée d'un duvet blanc, due à une moisissure précise (le penicillium candidum). Il faut citer le brie, le camembert, le carré de l'Est, etc. ;

• *les fromages à pâte molle et à croûte lavée :* ces fromages ne pouvant avoir de moisissures permettant la formation d'une croûte fleurie, ils doivent être soumis à des lavages périodiques pour que leur humidité interne soit maintenue. Ce traitement leur donne une apparence très lisse, presque vernie, d'une couleur allant du jaune paille au rouge brique selon la fréquence des lavages. Citons le pont-l'évêque, le munster, le livarot, le maroilles ;

• *les fromages de chèvre à pâte molle et à croûte naturelle :* leur pâte est plus ou moins molle, tendre. Ils ne subissent qu'un séchage (plus ou moins poussé), sans affinage, et vieillissent par simple dessèchement. Ce sont les chèvres fermiers, à la peau gris bleuté qui se forme dans les caves où ils sèchent, et les chèvres industriels, recouverts d'une croûte blanche due à l'introduction de penicillium candidum dans le caillé.

3. Les fromages à moisissures internes : on les appelle aussi fromages bleus ou persillés. Ils sont assimilables aux pâtes molles, résultat de caillé émietté additionné de pénicillium glaucum, qui provoque des moisissures bleues. Celles-ci se développent grâce à l'aération de la pâte réalisée par des perforations effectuées à l'aide de grosses aiguilles spéciales. On en distingue 2 types :

• *les bleus à croûte naturelle :* la croûte est simplement séchée, brossée à sec ou humectée. Ce sont les bleus de Gex et la fourme d'Ambert ;

• *les bleus à croûte amincie :* cette croûte est obtenue par raclages. Ce sont les bleus d'Auvergne et des Causses. Le roquefort appartient à cette catégorie, car il est à pâte persillée, mais l'utilisation du lait de brebis le rend différent des autres fromages.

4. Les fromages à pâte demi-dure ou à pâte pressée non cuite : le caillé n'est pas chauffé dans le petit-lait ; ces fromages sont entourés de toile et soumis à une pression pendant le séchage. Ce sont le saint-nectaire, le saint-paulin, le cantal et la tomme de Savoie, entre autres.

5. Les fromages à pâte dure ou à pâte cuite : le caillé est chauffé dans le petit-lait. Ces fromages sont entourés de toile et mis sous presse dans des moules. Leur pâte est soumise à l'action de ferments spéciaux qui permettent, pendant l'affinage, le développement d'ouvertures — les yeux ou trous. Ce sont des fromages de 40 à 100 kg : comté, beaufort, emmenthal.

6. Les fromages fondus : ils occupent une place un peu à part dans le monde des fromages. Ils sont le résultat de la fonte de fromages à pâte dure additionnés d'autres produits laitiers (lait en poudre, beurre, crème) et parfois d'aromates.

Les vins

Tout comme les fromages, les vins sont nombreux en France, et le choix est souvent difficile. Il existe pourtant quelques règles essentielles. Tout d'abord sur la façon de servir le vin :

— Un vin rouge sera amené lentement à température ambiante. Pour cela il sera sorti de la cave au moins 6 h avant de le déguster. Seuls certains vins rouges très jeunes peuvent être bus frais.

— Un vin blanc se boit frais et non glacé ; trop froid, il perdra tout son parfum : 10 ou 12° est une température convenable. Si vous servez plusieurs vins, allez toujours du plus léger au plus corsé, offrez le blanc avant le rouge. D'ailleurs, le vin blanc accompagne agréablement les hors-d'œuvre, poissons et crustacés.

Vous servirez un vin blanc fruité (Riesling, Sylvaner, Pinot blanc, Pouilly) avec crudités et coquillages.

Choisissez un vin plus sec pour accompagner vos poissons : Muscadet, Gros Plant, Graves, Chablis.

Avec les plats de viande et le fromage, préférez un vin rouge. Si vous aimez les vins légers, choisissez plutôt un

Bordeaux : un Médoc ou un Haut-Médoc (Saint-Estèphe, Pauillac, Margaux, Saint-Julien), un Pomerol ou un Saint-Emilion.

Si vous aimez les vins plus lourds et plus corsés, prenez un Bourgogne : un Côte de Nuits (Nuits-Saint-Georges, Gevrey-Chambertin) ou un Côte de Beaune (Volnay, Pommard, Meursault).

Avec les entremets et les pâtisseries, vous servirez un vin blanc doux (muscat, Sauternes, vins blancs du Jura), voire même sucré (Monbazillac) ou encore du champagne.

Sachez encore qu'un bon rosé accompagnera sans problème tout votre repas, des hors-d'œuvre jusqu'au dessert. Servez alors un rosé de Cahors, un rosé de Provence ou encore un Côte du Rhône léger et parfumé.

Cuisiner vite

Pour perdre le moins de temps possible dans votre cuisine lorsque vous préparez le repas, suivez attentivement l'ordre des opérations qui vous est indiqué dans les recettes. Chaque recette est en effet écrite en tenant compte du temps de préparation et du temps de cuisson. Ainsi, pendant la cuisson d'un ingrédient, vous en préparerez un autre et ainsi de suite. En tenant compte des indications que nous vous donnons, vous réaliserez un gain de temps considérable.

Economie de temps, réduction du gaspillage par une rationalisation des achats, variété des menus évitant la lassitude, nous avons voulu faire de cet ouvrage un véritable manuel pratique de la femme d'aujourd'hui, pour une cuisine tout à fait actuelle.

Menus

Pour faciliter votre cuisine quotidienne, nous vous proposons dans ces deux pages quelques menus réalisés à partir de recettes figurant bien sûr dans ce volume. Chaque menu est suivi de quelques conseils ayant trait à la préparation des plats.

Nous vous proposons deux types de menus : menus de tous les jours et menus de fêtes.

Menus de tous les jours

Menu n° 1
- **Champignons marinés à la moutarde** (p. 20)
- **Poulet aux poivrons et aux tomates** (p. 52)
- **Fraises au coulis de framboise** (p. 76)

Fraises et champignons pourront être préparés soit à l'avance, soit juste avant la préparation du poulet et dans ce cas, ils rafraîchiront pendant la cuisson du poulet. Ce menu est typiquement un menu de printemps ou d'été avec des plats froids et un plat chaud ayant comme ingrédients poivrons et tomates qui sont des légumes de printemps et d'été. Vous pourrez accompagner ce poulet de pâtes fraîches légèrement assaisonnées de beurre et de parmesan.

Menu n° 2
- **Tarte à l'oignon** (p. 35)
- **Courgettes sautées au citron vert** (p. 66)
- **Sorbet au cassis** (p. 69)

Voici un menu végétarien. Vous préparerez la pâte de la tarte et le sorbet plusieurs heures à l'avance ou même la veille. La finition de la tarte et la cuisson des courgettes sont des opérations assez simples et pas trop longues.

Menu n° 3
- **Frisée au roquefort** (p. 21)
- **Pommes de terre soufflées** (p. 61)
- **Sablé aux framboises** (p. 69)

Second menu végétarien pour les jours où ni la viande, ni le poisson ne vous font envie. Le sablé doit bien sûr être préparé à l'avance et seules les pommes de terre demandent une préparation et une cuisson assez longues ; vous pouvez cependant avoir cuit les pommes de terre au four entières à l'avance et ne réaliser, juste avant le repas, que la seconde cuisson. La frisée au roquefort demande, elle, une préparation simple et rapide.

Menu n° 4
- **Crème de chou-fleur** (p. 10)
- **Poisson au cidre** (p. 39)
- **Fruits au vin blanc** (p. 73)

Vous pouvez préparer le dessert à l'avance (plusieurs heures ou même la veille). Préparez le poisson pendant la cuisson du chou-fleur. La crème de chou-fleur est servie telle quelle, mais le poisson pourra être accompagné de pommes de terre cuites à l'eau dans leur peau, ou de purée. Vous réaliserez cette cuisson en même temps que celle du poisson.

Menu n° 5
- **Rillettes de porc** (p. 27)
- **Paupiettes aux anchois** (p. 42)
- **Pêches au vin rouge** (p. 76)

Ce menu peut être entièrement préparé la veille ou plusieurs heures à l'avance. Les pêches sont servies bien fraîches et supporteront sans problème 12 à 24 heures de réfrigération ; les paupiettes pourront elles aussi être préparées à l'avance et réchauffées au dernier moment, elles n'en seront que plus parfumées. Vous pourrez les faire cuire 12 à 24 heures à l'avance et les faire refroidir puis les garder au réfrigérateur. Les rillettes, comme il est dit dans la recette, se conservent plusieurs semaines !

Menu n° 6
- **Soupe à la bière** (p. 14)
- **Palette au four** (p. 45)
- **Tarte aux pruneaux** (p. 79)

La tarte est en grande partie préparée à l'avance ; mais sa finition doit se faire juste avant de la déguster. Aussi, avant de commencer la préparation du repas, terminez la préparation de la tarte et réservez-la dans un endroit frais. Mettez la palette au four, puis préparez la soupe à la bière. Pendant que vous dégusterez la soupe, la palette finira de cuire. Vous servirez la palette toute chaude.

Menus de fêtes

Menu n° 1
- **Roulades de saumon** (p. 10)
- **Canard aux cerises** (p. 57)
- **Charlotte au chocolat** (p. 74)

La charlotte doit bien entendu être préparée plusieurs heures à l'avance ou même la veille. La préparation du saumon peut être réalisée avant la préparation et la cuisson du canard. Le canard ne demande pas de préparation particulière, seule la cuisson est relativement longue. Accompagnez-le d'une purée de pommes. Vous la préparerez pendant la cuisson du canard, comme suit : faites cuire 1 kg de pommes reinettes ou golden coupées en quartiers et pelées avec 1 dl d'eau. Lorsqu'elles sont très tendres, passez-les à la moulinette, grille fine. Servez cette purée bien chaude, nature, simplement poudrée de quelques grains de poivre vert émiettés entre vos doigts.

Menu n° 2
- **Tartelettes au chèvre** (p. 19)
- **Artichauts farcis aux champignons** (p. 59)
- **Clafoutis** (p. 70)

Encore un menu végétarien qui pourra être agrémenté d'une salade verte que vous servirez avec les tartelettes, et de pommes de terre à la vapeur que vous servirez avec les artichauts. La garniture et la cuisson des tartelettes se fera au dernier moment, mais la pâte pourra être préparée longtemps à l'avance. Les artichauts cuiront pendant que vous serez à table, de même que le clafoutis, qui est meilleur tiède.

Menu n° 3
- **Jambon persillé** (p. 24)
- **Bâtonnets de carottes sautés** (p. 65)
- **Gâteau de crêpes à l'abricot** (p. 77)

Tous les éléments du dessert seront cuits à l'avance mais l'assemblage se fera au dernier moment. Les carottes cuiront pendant que vous dégusterez la terrine.

Menu n° 4
- **Terrine de canard à l'orange** (p. 23)
- **Blancs de poulet au foie gras** (p. 54)
- **Pithiviers** (p. 72)

La pâte et la garniture du pithiviers seront préparées à l'avance, mais l'assemblage et la cuisson ne devra se faire qu'au moment de se mettre à table. La terrine sera prête depuis 12 à 24 heures, mais elle devra être sortie du réfrigérateur 1 heure avant le repas. Le plat principal cuira au dernier moment et sera servi aussitôt avec des pâtes fraîches assaisonnées de beurre et de parmesan râpé.

Menu n° 5
- **Ballottine de volaille** (p. 25)
- **Truites à la moutarde** (p. 28)
- **Baba au rhum aux fruits frais** (p. 78)

Seules les truites vous demanderont un peu de préparation juste avant le repas, le baba et la ballottine étant prêts depuis 24 heures au moins. Les truites seront excellentes avec des pâtes fraîches ou des pommes de terre cuites à la vapeur, les deux pouvant être assaisonnées de beurre fondu.

Menu n° 6
- **Feuilletés à l'anchois** (p. 16)
- **Coquilles Saint-Jacques au cidre** (p. 37)
- **Bavaroise au café** (p. 74)

La bavaroise doit bien entendu, comme la charlotte, être préparée à l'avance. La pâte feuilletée peut soit être achetée toute faite soit être réalisée à l'avance. Il ne vous restera qu'à garnir les feuilletés et préparer les coquilles. La garniture des feuilletés peut être réalisée un peu à l'avance mais les feuilletés ne seront garnis qu'au moment de les mettre au four. Les coquilles Saint-Jacques seront excellentes servies avec des pommes coupées en 8 quartiers, simplement revenues pendant 5 mn à feu vif dans une grande poêle, avec de l'huile d'olive.

Entrées légères et parfumées comme les « roulades de saumon » ou entrées plus consistantes comme « la soupe au jambonneau », vous trouverez dans ce chapitre des recettes délicieuses et faciles à réaliser. Essayez, en été, les « tomates farcies aux crevettes » et en hiver, les « avocats gratinés », ces entrées originales surprendront votre famille.

Certains plats — « brochettes surprise » ou « feuilletés à l'anchois » — seront les bienvenus les jours de fêtes mais vous pourrez aussi les préparer pour des réceptions.

Salade à la saucisse

Pour 4 personnes. Préparation : 15 mn

- 1 laitue
- 175 g de saucisse sèche
- 100 g de petits champignons de Paris
- 100 g de saint-paulin ou de tomme de Savoie
- 50 g de cerneaux de noix
- 4 cuil. à soupe d'huile de maïs ou d'arachide
- 3 cuil. à soupe de vinaigre de cidre
- 1 cuil. à café de moutarde de Dijon
- sel, poivre

1. Effeuillez la salade, lavez les feuilles et essorez-les. Otez la peau de la saucisse et coupez cette dernière en dés de 1 cm de côté. Coupez également le fromage en dés de 1 cm de côté. Cassez grossièrement les cerneaux de noix entre vos doigts.

2. Mettez la moutarde dans un bol, ajoutez du sel et du poivre et versez le vinaigre en battant avec une fourchette, puis ajoutez l'huile, sans cesser de battre.

3. Rangez les feuilles de salade dans le fond de 4 assiettes, répartissez dessus la saucisse et le fromage. Otez la partie terreuse du pied des champignons, lavez ces derniers rapidement sous l'eau courante, puis coupez-les en deux et ajoutez-les dans les assiettes.

4. Versez l'assaisonnement sur le tout et servez aussitôt : chacun mélangera les ingrédients au dernier moment.

☐ Vous pouvez ajouter à l'assaisonnement de la salade 1 gousse d'ail passée au presse-ail.

Tomates farcies aux crevettes

★★

Pour 4 personnes. Préparation : 20 mn

- 4 tomates moyennes ou 8 petites
- 250 g de crevettes cuites décortiquées
- 2 œufs durs + 1 jaune cru
- 2 cuil. à soupe de persil plat ciselé
- 1 cuil. à soupe de ciboulette ciselée
- 1 citron non traité
- 1 gousse d'ail
- 1 cuil. à café de moutarde de Dijon
- 2,5 dl d'huile d'olive
- sel, poivre

1. Lavez les tomates, essuyez-les et coupez la partie supérieure de façon à obtenir un petit chapeau. Eliminez les graines et les cloisons de l'intérieur, poudrez les tomates de sel et renversez-les dans une passoire. Laissez reposer pendant 15 mn.

2. Pelez les gousses d'ail et passez-les au presse-ail au-dessus d'un bol. Ajoutez la moutarde et le jaune d'œuf cru. Mélangez, laissez reposer pendant 1 mn, puis versez l'huile en un mince filet en battant avec une fourchette ou un batteur électrique. Continuez jusqu'a ce que vous obteniez une mayonnaise ferme.

3. Ecalez les œufs. Hachez-les très finement au couteau et hachez de la même façon les crevettes. Incorporez le tout à la mayonnaise en même temps que le persil, la ciboulette, le sel et le poivre. Lavez le citron, essayez-le et râpez la moitié de son zeste au-dessus de la préparation. Mélangez bien.

4. Retirez les tomates de la passoire et essuyez-en l'intérieur à l'aide de papier absorbant. Garnissez-les de farce aux crevettes et couvrez-les de leurs chapeaux. Servez aussitôt.

☐ Vous pouvez préparer ces tomates 1 heure à l'avance et les garder au réfrigérateur jusqu'au moment de servir.

☐ Variantes :
- Tomates farcies à la mousse de sardines :
Pelez 2 échalotes et mettez-les dans le bol d'un mixer avec les feuilles d'un gros bouquet de persil plat, deux fromages demi-sel et le contenu de 2 boîtes de sardines sans peau et sans arêtes. Ajoutez peu de sel, beaucoup de poivre et de noix muscade. Faites tourner l'appareil jusqu'à ce que vous obteniez une purée lisse et homogène.
Garnissez 4 tomates moyennes ou 8 petites de cette mousse de sardines et servez-les aussitôt avec des tranches de pain grillé.

- Tomates à la mousse de roquefort :
Ecrasez très finement à la fourchette 100 g de roquefort, incorporez-y 100 g de crème fraîche et 1 fromage demi-sel. Lorsque vous obtenez une crème bien lisse, ajoutez 6 cerneaux de noix finement émiettés entre vos doigts et 10 brins de ciboulette finement ciselés. Salez peu et poivrez abondamment.
Garnissez 4 tomates moyennes ou 8 petites de cette mousse de roquefort et servez-les aussitôt.

Crème de chou-fleur ★★

Pour 4 personnes. Préparation et cuisson : 1 h

- *1 chou-fleur de 500 g*
- *1/2 litre de bouillon de volaille*
- *1/2 litre de lait*
- *1 oignon*
- *6 brins de cerfeuil*
- *50 g de beurre*
- *noix muscade*
- *sel*
- *poivre*

1. Pelez l'oignon et hachez-le grossièrement. Lavez le chou-fleur, séparez-le en tout petits bouquets et réservez-en huit.

2. Faites fondre la moitié du beurre dans une cocotte et faites-y revenir l'oignon pendant quelques minutes à feu doux, en remuant avec une spatule. Ajoutez ensuite les bouquets de chou-fleur et mélangez-les pendant 3 mn dans la cocotte. Versez le bouillon, ajoutez sel, poivre et noix muscade et laissez cuire pendant 30 mn environ à feu très doux, jusqu'à ce que le chou-fleur soit très tendre.

3. Au bout de ce temps, retirez la cocotte du feu et laissez tiédir. Versez ensuite le contenu de la cocotte dans le bol d'un mixer et ajoutez-y le lait. Réduisez le tout en une crème lisse. Vous pouvez aussi passer le chou-fleur au moulin à légumes, grille fine, puis incorporer le lait.

4. Versez la crème de chou-fleur dans la cocotte et posez cette dernière sur feu très doux. Laissez cuire pendant 5 mn, en remuant de temps en temps.

5. Faites fondre le reste du beurre dans une poêle et faites-y revenir les bouquets de chou-fleur réservés, en remuant sans arrêt, jusqu'à ce qu'ils soient dorés et juste tendres.

6. Lavez le cerfeuil et essorez-le ; éliminez-en les tiges. Versez la crème de chou-fleur dans une soupière, ajoutez les bouquets de chou-fleur dorés et décorez de cerfeuil. Servez tout chaud.

☐ Accompagnez cette crème de chou-fleur de pain grillé.

Vous pouvez préparer de la même façon une crème de carottes. Faites revenir 1 oignon haché dans 25 g de beurre, ajoutez-y 1 kg de carottes coupées en fines rondelles, mélangez jusqu'à ce qu'elles soient blondes puis versez 1/2 litre de bouillon de volaille et laissez cuire à feu doux et à découvert, pendant 20 mn. Passez ensuite le tout au moulin à légumes, grille fine, ou au mixer. Versez la préparation dans une casserole, ajoutez 2 cuillerées à soupe de jus de citron, sel, poivre, noix muscade et 100 g de crème fraîche épaisse. Laissez mijoter pendant 5 mn et servez très chaud.

Roulades de saumon ★★

Pout 4 personnes. Prép. et cuiss. : 20 mn. Réfrig. : 4 h

- *8 fines tranches de saumon fumé*
- *250 g de fromage demi-sel*
- *3 cuil. à soupe de jus de citron*
- *2 oignons nouveaux*
- *2 feuilles de gélatine*
- *4 cuil. à soupe de mayonnaise*
- *sel*
- *poivre*
Pour servir :
- *quartiers de citron*
- *oignons nouveaux*
- *pain de mie*

1. Otez la première peau des oignons, lavez ces derniers, essorez-les et hachez-les finement. Mettez les feuilles de gélatine dans une terrine, couvrez-les d'eau froide et laissez-les ramollir pendant quelques minutes.

2. Versez le jus de citron et 2 cuillerées à soupe d'eau dans une petite casserole. Egouttez les feuilles de gélatine, ajoutez-les dans la casserole et portez à ébullition. Retirez du feu et laissez tiédir.

3. Mettez le fromage dans une terrine et écrasez-le avec une fourchette. Ajoutez-y la mayonnaise, le contenu de la casserole, sel et poivre. Mélangez bien, ajoutez les oignons hachés et mélangez une dernière fois.

4. Etalez une tranche de saumon sur une assiette, posez au centre 1/8 de la garniture au fromage, étalez-la sur la tranche de saumon et roulez cette dernière. Faites de même avec les autres tranches de saumon.

5. Mettez les roulades de saumon au réfrigérateur et laissez-les refroidir pendant 4 h.

6. Au bout de ce temps, servez les roulades de saumon avec des quartiers de citron, des oignons nouveaux et des tranches de pain de mie grillées.

☐ Variante :

Voici une autre entrée à base de saumon : les pâtes fraîches au saumon (pour 4 personnes).

Coupez 100 g de saumon fumé en fines lanières et écrasez finement à la fourchette 100 g de saumon fumé avec 50 g de beurre ; incorporez-y 100 g de crème fraîche épaisse, 1 cuillerée à café de vodka, 10 brins de ciboulette finement ciselée et 10 grains de poivre vert émiettés entre vos doigts.

Faites cuire 300 g de pâtes (tagliatelle) fraîches, nappez-les de sauce au saumon, mélangez bien puis ajoutez les lanières de saumon. Mélangez une dernière fois et dégustez tout chaud.

★ ★

Crème de courgettes

Pour 4 personnes. Préparation et cuisson : 1 h

- 500 g de courgettes
- 2 petites pommes de terre
- 250 g de crème fraîche épaisse
- 2,5 dl de lait
- 100 g de gruyère
- sel, poivre

1. Lavez les courgettes, essuyez-les et ôtez-en les deux extrémités. Pelez les pommes de terre, lavez-les et essuyez-les. Coupez courgettes et pommes de terre en petits cubes.

2. Versez le lait dans une cocotte, portez à ébullition, ajoutez les courgettes et les pommes de terre, salez et poivrez. Couvrez et laissez cuire pendant 20 mn environ à feu très doux, jusqu'à ce que les légumes soient très tendres.

3. Râpez le gruyère dans une râpe cylindrique munie de sa grille à gros trous.

4. Lorsque les légumes sont cuits, versez le contenu de la cocotte dans le bol d'un mixer, ajoutez-y la crème fraîche et réduisez le tout en crème. Vous pouvez aussi passer les légumes au moulin à légumes, grille fine, puis incorporer la crème.

5. Versez le contenu du bol du mixer dans la cocotte, posez cette dernière sur feu doux, portez à ébullition, ajoutez le fromage et mélangez jusqu'à ce qu'il soit fondu.

6. Versez la soupe toute chaude dans une soupière et servez sans attendre.

☐ Vous pouvez réaliser une soupe plus légère en remplaçant les pommes de terre et la crème fraîche par une liaison à l'œuf. Faites cuire les courgettes dans le lait, puis, lorsqu'elles sont réduites en purée, remettez-les dans la cocotte. Battez 1 dl de crème fleurette avec 2 jaunes d'œufs et versez ce mélange dans la cocotte, en remuant sans arrêt, et sans porter à ébullition. Lorsque la crème est liée, incorporez-y le fromage et dégustez tout chaud.

Brochettes surprise

Pour 4 personnes. Préparation : 30 mn. Repos : 1 h. Cuisson : 10 mn

- *24 champignons de Paris de taille moyenne*
- *100 g de beurre*
- *2 gousses d'ail*
- *2 cuil. à soupe de persil plat ciselé*
- *2 œufs*
- *75 g de chapelure*
- *huile pour friture*
- *sel, poivre*

1. Une heure avant de faire cuire les champignons, ôtez-en les pieds et réservez-les pour un autre usage. Lavez les chapeaux en les frottant sous l'eau courante, essuyez-les et réservez-les. Pelez les gousses d'ail et passez-les au presse-ail au-dessus d'un bol. Ajoutez-y le persil, le beurre, sel et poivre. Mélangez bien le tout à l'aide d'une fourchette.

2. Déposez une noisette de ce beurre parfumé au centre de chaque chapeau de champignon et réunissez ces derniers deux par deux, en les piquant de part en part avec un bâtonnet de bois.

3. Cassez les œufs dans une assiette creuse et battez-les à la fourchette en y ajoutant une pincée de sel. Mettez la chapelure dans une seconde assiette creuse et mélangez-y une pincée de sel. Passez les brochettes de champignons, les unes après les autres, d'abord dans les œufs battus puis dans la chapelure, puis une seconde fois dans les œufs puis la chapelure. Posez les brochettes sur une assiette et mettez-les au réfrigérateur. Laissez-les reposer pendant 1 heure.

4. Au bout de ce temps, faites chauffer l'huile dans une bassine à friture ou dans une poêle profonde, sur une hauteur de 5 cm. Lorsqu'elle est bien chaude, plongez les 6 brochettes et laissez-les cuire pendant 5 mn, en les retournant souvent. retirez-les ensuite avec une écumoire et égouttez-les sur du papier absorbant.

5. Mettez les brochettes toutes chaudes sur un plat de service et dégustez.

Salade de riz aux moules

Pour 4-6 personnes. Préparation et cuisson : 1 h

- 500 g de moules
- 250 g de riz long
- 2 échalotes
- 1 petit poivron rouge
- 1 petit poivron vert
- 3 tomates fermes
- 10 olives noires dénoyautées
- sel

Pour l'assaisonnement :
- 2 gousses d'ail
- 1 œuf dur
- 6 cuil. à soupe d'huile d'olive
- 2 cuil. à soupe de vinaigre de vin blanc
- 2 cuil. à soupe de persil plat ciselé
- sel, poivre

1. Versez un litre d'eau dans une casserole, portez à ébullition, salez et plongez-y le riz. Laissez cuire pendant 20 mn, jusqu'à ce que le riz soit tendre et que toute l'eau ait été absorbée.

2. Pendant ce temps, pelez les échalotes et hachez-les menu. Lavez les poivrons, essuyez-les, coupez-les en deux, ôtez-en les graines et les pédoncules et coupez la pulpe en carrés de 1/2 cm de côté. Lavez les tomates, essuyez-les, coupez-les en deux, éliminez-en les graines et coupez les tomates en dés de 1/2 cm de côté. Coupez les olives en quatre.

3. Préparez l'assaisonnement : pelez les gousses d'ail et mettez-les dans le bol d'un mixer. Ecalez l'œuf, ajoutez-le dans le bol avec l'huile, le vinaigre, du sel et du poivre. Faites tourner l'appareil, jusqu'à ce que vous obteniez une sauce lisse.

4. Préparez les moules : grattez-les en les passant sous l'eau courante et ôtez-en le byssus. Mettez-les dans une casserole, couvrez et posez la casserole sur feu vif. Laissez les moules s'ouvrir, en secouant la casserole de temps en temps. Lorsqu'elles sont ouvertes, réservez quelques moules dans leur demi-coquille et décortiquez les autres.

5. Lorsque le riz est cuit, versez-le dans un plat creux et laissez-le tiédir pendant quelques minutes. Ajoutez ensuite les moules, les échalotes, les poivrons, les tomates, les olives et l'assaisonnement. Mélangez délicatement le tout.

6. Mettez cette salade de riz dans un plat creux et servez aussitôt.

☐ Variante :
- Salade de riz au poulet.

Pendant la cuisson du riz (comme il est indiqué dans la recette ci-dessus), préparez la sauce et la garniture : émincez 350 g de poulet cuit en fines lanières, coupez en lanières un poivron rouge et un poivron vert et coupez en rondelles une banane et une pomme. Arrosez ces deux fruits de 3 cuillerées à soupe de jus de citron.

Battez à la fourchette le contenu de 2 pots de yaourt entier et 2 cuillerées à soupe de crème fleurette. Ajoutez 2 cuillerées à soupe de lait de coco, 4 cuillerées à soupe de jus de citron vert et le zeste finement râpé d'un citron vert, 1/2 cuillerée à café de gingembre et autant de curry en poudre et quelques pincées de piment en poudre. Mélangez bien le tout. Lorsque le riz est cuit, il doit être bien sec. Mettez-le dans un plat creux et laissez-le refroidir complètement. Nappez-le ensuite de sauce et mélangez bien. Ajoutez-y le poulet, les poivrons et les fruits avec leur jus de citron. Mélangez délicatement pour ne pas briser les fruits. Laissez refroidir pendant 1 heure au réfrigérateur.

Au moment de servir, mettez la salade de riz au poulet dans un plat de service et dégustez bien frais.

Soupe au jambonneau

Pour 6 personnes. Préparation : 35 mn. Cuisson : 1 h 20

- *1 jambonneau frais*
- *125 g de haricots blancs secs*
- *1 chou vert*
- *4 carottes*
- *2 poireaux*
- *4 navets*
- *1 oignon*
- *2 gousses d'ail*
- *2 clous de girofle*
- *500 g de poitrine de porc demi-sel*
- *1 bouquet garni : 1 feuille de laurier, 1 branche de thym, 4 tiges de persil*
- *2 cuil. à soupe de persil plat ciselé*
- *sel*
- *poivre*

1. Mettez les haricots blancs dans une terrine, couvrez-les d'eau froide et laissez-les tremper pendant 30 mn.

2. Pendant ce temps, préparez les légumes : pelez les carottes et les navets, lavez-les et coupez-les en quatre. Coupez le chou en deux, ôtez le cœur dur et coupez chaque demi-chou en trois. Otez la première feuille des poireaux, lavez ces derniers, égouttez-les et coupez-les en tronçons de 3 cm de long. Pelez l'oignon et piquez-le avec les clous de girofle. Liez les éléments du bouquet garni. Ecrasez les gousses d'ail du plat de la main, sans les peler.

3. Rincez le porc demi-sel sous l'eau courante, en frottant bien pour éliminer toute trace de sel. Coupez-le en morceaux de 5 cm de côté. Coupez le jambonneau en deux dans le sens de la hauteur puis chaque demi-jambonneau encore en trois, toujours dans la hauteur.

4. Au bout de 30 mn, rincez les haricots et éliminez l'eau de trempage. Mettez-les dans une marmite et couvrez-les largement d'eau. Ajoutez l'ail, l'oignon, le bouquet garni. Portez à ébullition puis ajoutez le porc demi-sel, le jambonneau, les poireaux, les carottes et les navets. Couvrez et laissez cuire à petits frémissements pendant 1 heure.

5. Pendant ce temps, faites bouillir de l'eau dans une casserole et plongez-y les morceaux de chou. Faites-les blanchir pendant 10 mn puis égouttez-les.

6. Au bout de 1 heure de cuisson de la soupe, ajoutez le chou et laissez cuire pendant encore 20 mn. Salez et poivrez en fin de cuisson.

7. Lorsque la soupe est cuite, retirez la marmite du feu et répartissez-la entre 6 bols individuels, en divisant bien les ingrédients entre les bols. Poivrez et parsemez de persil ciselé. Servez très chaud.

Soupe à la bière

Pour 6 personnes. Préparation : 10 mn. Cuisson : 35 mn

- *1 litre de bouillon de volaille*
- *1/2 litre de bière blonde*
- *200 g de mie de pain rassis*
- *100 g de crème fraîche épaisse*
- *1 gros oignon*
- *25 g de beurre*
- *noix muscade*
- *sel, poivre*
- *Pour servir :*
- *6 tranches de pain desséchées au four*

1. Pelez l'oignon et émincez-le. Passez la mie de pain à la moulinette afin de la réduire en fine chapelure. Versez le bouillon dans une casserole et faites-le tiédir.

2. Faites fondre le beurre dans une cocotte et faites-y revenir l'oignon à feu doux pendant 5 mn. Versez-y peu à peu le bouillon chaud puis la bière. Ajoutez la mie de pain, du sel, du poivre et de la noix muscade. Mélangez et laissez cuire à feu doux pendant 30 mn.

3. Au bout de ce temps, retirez la cocotte du feu et passez son contenu au moulin à légumes, grille fine. Remettez la préparation dans la cocotte, ajoutez-y la crème et laissez réchauffer pendant quelques minutes sur feu très doux.

4. Mettez une tranche de pain dans chaque assiette et versez-y la soupe très chaude. Dégustez sans attendre.

☐ Variante :

Voici une recette différente de soupe à la bière, d'origine allemande, alors que celle que nous vous proposons ci-dessus est originaire du nord de la France. Faites bouillir 1 litre de bière blonde avec 75 g de sucre. Retirez du feu. Mélangez dans un bol 3 jaunes d'œufs, 1 cuillerée à café de jus de citron et 100 g de crème fraîche. Versez ce mélange dans la bière et laissez cuire à feu très doux, jusqu'à ce que la soupe soit liée. Ajoutez sel, poivre, cannelle et noix muscade et dégustez tout chaud.

Beignets de sole

Pour 4 personnes. Préparation : 20 mn. Repos : 1 h. Cuisson : 15 mn

- 4 filets de sole
- 100 g de gruyère
- 100 g de chapelure
- 2 œufs
- 2 cuil. à soupe de farine
- huile pour friture
- sel, poivre

1. Coupez chaque filet de sole en lanières de 3 cm de large. Coupez le fromage en fines tranches. Cassez les œufs dans une assiette creuse et battez-les à la fourchette en y ajoutant une pincée de sel. Mettez la chapelure dans une seconde assiette creuse. Tamisez la farine dans une troisième.

2. Déposez quelques lamelles de fromage au centre des lanières de poisson et roulez ces dernières en y emprisonnant le fromage. Piquez-les avec un bâtonnet afin d'éviter que le fromage ne coule en cuisant.

3. Passez les roulades de sole dans la farine puis salez-les, poivrez-les et passez-les ensuite dans les œufs battus puis dans la chapelure. Passez-les une seconde fois dans les œufs et la chapelure.

4. Rangez les roulades de sole dans un plat et mettez-les au réfrigérateur, laissez-les reposer pendant 1 heure.

5. Au bout de ce temps, faites chauffer l'huile dans une bassine à friture ou dans une poêle profonde sur une hauteur de 5 cm. Lorsque l'huile est très chaude, plongez-y les roulades et laissez-les cuire pendant 5 mn, en les retournant plusieurs fois.

6. Retirez les beignets de la friture avec une écumoire et égouttez-les sur du papier absorbant.

7. Rangez les beignets sur un plat de service et dégustez-les aussitôt.

☐ Servez ces beignets avec une salade verte, une sauce verte ou tartare et des quartiers de citron.

— Sauce verte : versez dans un bol 1 cuillerée à soupe de vinaigre de vin, ajoutez-y sel, poivre, 2 cuillerées à soupe de persil plat ciselé, 1 cuillerée à soupe de cerfeuil ciselé, 1 cuillerée à soupe de ciboulette ciselée, 1 cuillerée à soupe de câpres hachées et 2 échalotes hachées menu. Mélangez en y incorporant 4 cuillerées à soupe d'huile d'olive.

— Sauce tartare : écrasez très finement à la fourchette 2 œufs durs et incorporez-y, comme vous le feriez pour une mayonnaise, 1/4 de litre d'huile. Ajoutez alors 1 cuillerée à soupe de mayonnaise, 1 cuillerée à café de vinaigre de vin, 1 cuillerée à soupe de câpres, 6 cornichons hachés et 1 cuillerée à soupe de ciboulette ciselée.

Chaussons aux épinards

Pour 6 personnes. Préparation et cuisson : 45 mn

- 500 g de pâte feuilletée
- 250 g d'épinards frais ou surgelés
- 100 g de fromage demi-sel
- 1 gousse d'ail
- 2 œufs
- 1 cuil. à soupe de persil plat finement ciselé
- huile pour friture
- sel
- poivre

1. Equeutez les épinards, lavez-les et mettez-les, sans trop les égoutter, dans une casserole. Salez, couvrez et laissez cuire pendant 5 mn. Mettez ensuite les épinards dans une passoire et laissez-les égoutter. Si vous utilisez des épinards surgelés, faites-les cuire selon le mode d'emploi indiqué par le fabricant.

2. Cassez un œuf dans une terrine et battez-le à la fourchette. Pelez la gousse d'ail et passez-la au presse-ail au-dessus de la terrine. Ajoutez le persil, le fromage, du sel et du poivre. Mélangez bien le tout.

3. Lorsque les épinards sont tièdes, pressez-les bien entre vos mains pour finir de les égoutter puis hachez-les au couteau, finement. Ajoutez-les dans la terrine et mélangez bien.

4. Etalez la pâte feuilletée au rouleau à pâtisserie et découpez à l'aide d'un emporte-pièce, ou d'un verre, des disques de 6 cm de diamètre. Garnissez-les de la préparation aux épinards puis badigeonnez-en le tour d'eau à l'aide d'un pinceau. Pliez chaque cercle en deux et appuyez bien sur la pâte afin de la souder.

5. Cassez l'œuf restant dans un bol, ajoutez 2 cuillerées à soupe d'eau et battez le tout à la fourchette.

6. Faites chauffer l'huile dans une bassine à friture ou dans une poêle profonde, sur une hauteur de 6 cm. Plongez les chaussons dans l'œuf battu puis dans l'huile chaude. Laissez-les cuire pendant 5 mn, jusqu'à ce qu'ils soient dorés et gonflés.

7. Retirez les chaussons de la friture à l'aide d'une écumoire, puis égouttez-les sur du papier absorbant.

8. Rangez les chaussons sur un plat de service et dégustez bien chaud.

☐ Accompagnez ces chaussons de sauce tartare et de quartiers de citron.

Feuilletés à l'anchois

Pour 6 personnes. Préparation et cuisson : 45 mn

- 500 g de pâte feuilletée
- 10 filets d'anchois à l'huile
- 2 œufs durs
- 2 tomates mûres à point
- 2 cuil. à soupe de persil plat finement ciselé
- 1 cuil. à café de pâte d'anchois
- 1 jaune d'œuf
- 4 pincées de piment en poudre
- sel
- poivre

1. Plongez les tomates dans de l'eau bouillante pendant 10 secondes ; puis passez-les sous l'eau courante, pelez-les, coupez-les en deux, pressez-les pour en éliminer les graines et hachez grossièrement la pulpe au couteau. Hachez les anchois de la même façon. Ecalez les œufs durs et hachez-les dans une râpe cylindrique, grille fine.

2. Mettez les œufs, les tomates, les anchois, la pâte d'anchois et le persil dans une terrine. Ajoutez le piment, un peu de sel et beaucoup de poivre. Mélangez bien tous les ingrédients afin d'obtenir une pâte homogène.

3. Allumez le four, thermostat 7 (230°). Etalez la pâte feuilletée au rouleau à pâtisserie et découpez, à l'aide d'un emporte-pièce, des petites formes de poisson, ou d'autres formes de votre choix. Déposez sur la moitié de ces formes la préparation à l'anchois. Humidifiez le bord de chaque forme garnie à l'aide d'un pinceau trempé dans l'eau puis posez sur chacune une seconde forme et appuyez sur les bords afin de les souder.

4. Humidifiez la plaque du four et rangez-y les petits poissons de pâte, sans trop les serrer. Battez le jaune d'œuf à la fourchette avec une cuillerée à café d'eau et badigeonnez chaque poisson de ce mélange, à l'aide du pinceau. Glissez la plaque au four et laissez cuire pendant 15 mn environ, jusqu'à ce que les poissons soient dorés et gonflés.

5. Retirez les feuilletés du four, mettez-les sur une grille et laissez-les reposer pendant 2 mn avant de les servir.

★★

Moules farcies

Pour 6 personnes. Préparation et cuisson : 1 h

- 36 grosses moules
  de Hollande ou d'Espagne
- 250 g de champignons
  de Paris
- 2 échalotes
- 2 gousses d'ail
- 2 cuil. à soupe de persil
  plat finement ciselé
- 100 g de crème fraîche
  épaisse
- 1,5 dl de vin
  blanc sec
- 25 g de beurre
- 4 cuil. à soupe de parmesan
  râpé
- 4 cuil. à soupe
  de chapelure
- poivre

1. Grattez les moules en les passant sous l'eau courante et ôtez-en le byssus. Mettez les moules dans une casserole et ajoutez-y le vin blanc. Posez la casserole sur feu vif et laissez cuire jusqu'à ce que les moules soient ouvertes. Retournez-les plusieurs fois pendant la cuisson. Lorsqu'elles sont ouvertes, retirez-les de la casserole et laissez-les tiédir. Passez le jus de cuisson dans une passoire fine afin d'en éliminer éventuellement le sable.

2. Otez la partie terreuse du pied des champignons, passez ces derniers sous l'eau courante, essuyez-les et hachez-les. Pelez les échalotes et hachez-les menu. Faites fondre le beurre dans une poêle et faites-y revenir échalotes et champignons à feu vif, jusqu'à ce qu'ils soient dorés et qu'il n'y ait plus de liquide dans la poêle.

3. Ajoutez le vin blanc dans la poêle et laissez-le s'évaporer en remuant avec une spatule. Ajoutez alors l'ail, le persil, la moitié de la chapelure, la moitié du parmesan, du poivre et mélangez pendant 1 mn, sur feu modéré. Retirez du feu et versez la préparation dans une terrine. Ajoutez la crème fraîche et mélangez bien.

4. Eliminez les coquilles vides. Garnissez chaque moule de la préparation à base de champignons. Rangez les moules dans un plat à four garni de gros sel afin d'éviter qu'elles ne se renversent pendant la cuisson. Mélangez le reste de chapelure et de parmesan.

5. Allumez le gril du four. Poudrez chaque moule du mélange de parmesan et de chapelure et glissez le plat au four. Laissez gratiner les moules près de la flamme jusqu'à ce qu'elles soient bien chaudes et à peine blondes.

6. Servez les moules sans attendre.

Crudités à la sauce aux anchois

Pour 6 personnes. Préparation : 30 mn

- 1 poivron rouge
- 1 botte de radis
- 1 cœur de céleri
- 1 concombre
- 6 petites carottes
- 1 petit chou-fleur

Pour la sauce :
- 10 filets d'anchois à l'huile
- 2 tomates mûres
- 2 gousses d'ail
- 2 cuil. à soupe de vinaigre de vin rouge
- 3 dl d'huile d'olive
- sel, poivre

1. Préparez les crudités : lavez le poivron, coupez-le en rondelles et éliminez-en les graines. Otez les fanes des radis, lavez les radis et égouttez-les. Lavez le céleri, égouttez-le et séparez-en les tiges. Lavez le concombre, essuyez-le, coupez-le en tronçons de 5 cm de long puis coupez chaque tronçon en bâtonnets. Pelez les carottes, égouttez-les et coupez-les en bâtonnets. Séparez le chou-fleur en petits bouquets, lavez-les et égouttez-les.

2. Préparez la sauce : plongez les tomates dans une casserole d'eau bouillante pendant 10 secondes, passez-les ensuite sous l'eau courante, pelez-les, coupez-les en deux et pressez-les pour en éliminer les graines. Mettez la pulpe de tomate dans le bol d'un mixer. Pelez les gousses d'ail et ajoutez-les dans le bol, avec les filets d'anchois, du sel, du poivre et le vinaigre. Faites tourner l'appareil en y versant peu à peu l'huile et laissez tourner l'appareil jusqu'à ce que vous obteniez une sauce lisse et homogène.

3. Rangez les crudités sur un plat de service, versez la sauce en saucière et servez.

☐ Vous pouvez ajouter d'autres crudités : fenouils, fèves fraîches, petits artichauts violets, endives, oignons nouveaux…

☐ Vous pouvez servir les crudités avec d'autres sauces ; en voici quelques exemples :
— bagna cauda : séparez les filets de 15 anchois au sel, lavez-les bien sous l'eau courante afin d'en éliminer toute trace de sel. Coupez ces filets en petits morceaux et mettez-les dans une casserole avec 75 g de beurre, 3 cuillerées à soupe d'huile d'olive et 4 gousses d'ail passées au presse-ail. Posez la casserole sur feu très doux et laissez cuire en remuant sans arrêt avec une spatule, jusqu'à ce que vous obteniez une pâte lisse et homogène. Mettez la bagna cauda dans un bol et servez-la tiède.
— tapenade : séparez les filets de 6 anchois au sel, lavez-les bien sous l'eau courante afin d'éliminer toute trace de sel. Mettez ces filets d'anchois dans le bol d'un mixer ; ajoutez 200 g d'olives noires dénoyautées, 3 cuillerées à soupe de câpres égouttées, 2 cuillerées à soupe de cognac et 1 dl d'huile d'olive. Poivrez abondamment et faites tourner l'appareil jusqu'à ce que vous obteniez une purée lisse. Versez encore peu à peu 1 dl d'huile d'olive dans le bol du mixer, sans cesser de faire tourner ce dernier. Vous devez obtenir une sauce très lisse et homogène. Mettez la tapenade dans un bol et servez aussitôt.

★★

Tartelettes au chèvre

Pour 6 tartelettes. Préparation : 20 mn. Cuisson : 15 mn

- *200 g de pâte sablée*
- *100 g de fromage de chèvre : bûche*
- *100 g de crème fraîche épaisse*
- *2 œufs*
- *1/2 cuil. à café de thym*
- *4 pincée de piment en poudre*
- *20 g de beurre*
- *sel, poivre*

1. Etalez la pâte au rouleau à pâtisserie. Beurrez 6 moules à tartelettes et garnissez-les de pâte. Glissez les moules au réfrigérateur et laissez reposer pendant que vous préparez la garniture.

2. Otez la peau du fromage et écrasez-le très finement à la fourchette en y incorporant la crème. Cassez les œufs dans une terrine, ajoutez-y sel, poivre, piment et la préparation au fromage de chèvre. Mélangez bien.

3. Allumez le four, thermostat 7 (230°). Retirez les moules du réfrigérateur et garnissez-les de la préparation au fromage de chèvre. Glissez les moules au four et laissez cuire pendant 15 mn, jusqu'à ce que la pâte et la garniture soient dorées.

4. Retirez les tartelettes du four, démoulez-les et laissez-les reposer sur une grille à pâtisserie pendant 10 mn.

5. Servez les tartelettes tièdes.

☐ Accompagnez ces tartelettes d'une salade verte relevée d'ail.

☐ Voici une recette de pâte sablée, facile à réaliser, que vous devrez préparer 1 heure à l'avance. Vous la conserverez pendant 4 à 5 jours au réfrigérateur dans une poche en plastique spéciale congélation, surtout pas dans du papier d'aluminium car la pâte noircirait à son contact.

Tamisez 150 g de farine et 1/4 de cuillerée à café de sel sur le plan de travail. Faites un puits au centre et ajoutez 125 g de beurre mou en noisettes et 1 œuf. Incorporez la farine au beurre et à l'œuf en travaillant le tout du bout des doigts et en ajoutant 1 cuillerée à café d'eau. Dès que la pâte se détache des doigts, roulez-la en boule et laissez-la reposer. Si vous l'utilisez dans les deux heures suivant sa fabrication, il est inutile de la mettre au réfrigérateur : laissez-la reposer dans un endroit frais. Si vous l'utilisez 4 à 6 heures plus tard, mettez-la au réfrigérateur et sortez-la 30 mn au moins avant de l'étaler.

Avocats gratinés ★

Pour 4 personnes. Préparation et cuisson : 45 mn

- 2 gros avocats pas trop mûrs
- 250 g de chair de crabe cuite
- 1 cuil. à soupe de jus de citron
- 3 dl de lait
- 4 cuil. à soupe de gruyère râpé
- 4 pincées de piment en poudre
- 25 g de farine
- 25 g de beurre
- sel, poivre

1. Faites bouillir le lait dans une petite casserole, puis retirez-le du feu. Faites fondre le beurre dans une seconde casserole, ajoutez la farine et mélangez pendant 1 mn, en remuant sans arrêt avec une spatule. Versez peu à peu le lait chaud et laissez cuire, sans cesser de remuer, jusqu'à ce que vous obteniez une sauce épaisse. Salez, poivrez, ajoutez le piment et retirez du feu.

2. Emiettez la chair de crabe et ajoutez-la dans la casserole. Mélangez bien. Coupez les avocats en deux et arrosez-les de jus de citron. Garnissez les cavités laissées par le noyau avec la préparation au crabe et poudrez le tout de gruyère râpé.

3. Allumez le gril du four. Posez les avocats dans un plat et glissez le plat dans le four, pas trop près de la source de chaleur. Laissez cuire pendant 10 mn, jusqu'à ce que la chair des avocats soit cuite et que le fromage soit gratiné.

4. Mettez un demi-avocat gratiné dans chaque assiette et servez tout chaud.

☐ Variante :

L'avocat est le plus souvent servi froid, en salade ou simplement arrosé de jus de citron ; mais il est tout aussi excellent chaud. Voici une seconde recette chaude d'avocat : le soufflé à l'avocat.

Faites fondre 25 g de beurre dans une casserole, ajoutez une cuillerée à soupe bombée de farine et faites cuire le tout sur feu doux, en remuant avec une spatule, pendant 1 mn. Ajoutez alors 4,5 dl de lait et laissez cuire jusqu'à ce que vous obteniez une sauce épaisse, en remuant de temps en temps. Ajoutez 50 g de gruyère râpé, sel, poivre et noix muscade. Mélangez et retirez du feu.

Laissez tiédir pendant quelques minutes puis incorporez-y, en battant avec un fouet à main, quatre jaunes d'œufs. Réduisez en fine purée un gros avocat mûr à point et ajoutez cette purée à la préparation précédente.

Battez quatre blancs d'œufs en neige ferme et incorporez-les délicatement à la préparation précédente, en soulevant le tout avec une spatule.

Versez la préparation dans un moule à soufflé beurré et faites cuire au four préchauffé, thermostat 6 (200°), pendant 40 mn, jusqu'à ce que le soufflé soit doré et gonflé. Servez-le tout chaud dans son plat de cuisson.

Champignons marinés à la moutarde ★

Pour 4 personnes. Préparation : 15 mn. Marinade : 4 h

- 500 g de petits champignons de Paris
- 4 cuil. à soupe de jus de citron
- 2 cuil. à soupe de moutarde de Dijon
- 4 cuil. à soupe de crème fraîche épaisse
- 1 cœur de laitue
- 1 cuil. à café de graines de cumin
- sel, poivre

1. Otez la partie terreuse du pied des champignons, passez ces derniers sous l'eau courante, égouttez-les et mettez-les dans une terrine. Versez le jus de citron dans un bol, ajoutez la moutarde, mélangez et versez cette préparation sur les champignons. Mélangez, couvrez et laissez mariner les champignons pendant 4 heures.

2. Au bout de ce temps, effeuillez le cœur de laitue, lavez les feuilles et essorez-les. Tapissez-en quatre bols. Répartissez les champignons dans les bols. Salez et poivrez la crème fraîche et recouvrez-en les champignons. Poudrez le tout de graines de cumin. Servez aussitôt.

☐ Variantes :

• Voici une recette de champignons à la crème et au paprika. Choisissez 500 g de petits champignons de Paris, nettoyez-les et coupez-les en fines lamelles. Préparez une sauce comme suit : versez 200 g de crème fraîche dans un bol et battez-la à la fourchette, en y incorporant deux cuillerées à soupe de jus de citron, une cuillerée à soupe de paprika doux et six pincées de piment fort en poudre. Ajoutez-y du sel et mélangez bien. Versez cette sauce sur les champignons et mélangez jusqu'à ce qu'ils soient bien enrobés. Lavez un bouquet de ciboulette, essorez-le et coupez la ciboulette à l'aide d'une paire de ciseaux, en tronçons de 1 cm de long. Parsemez-en les champignons et servez aussitôt.

• Vous pouvez aussi déguster les champignons crus très simplement : nettoyez-les et coupez-les en fines lamelles. Mettez les champignons dans un plat creux et arrosez-les de jus de citron. Mélangez bien. D'autre part, versez de l'huile d'olive dans un bol, ajoutez-y du poivre fraîchement moulu, du sel, de la ciboulette ciselée et mélangez. Préparez de fines lamelles de parmesan très frais. Chaque convive arrosera les champignons d'huile d'olive parfumée et en dégustera chaque bouchée avec une lamelle de parmesan.

★

Frisée au roquefort

Pour 4 personnes. Préparation : 15 mn

- *1 frisée*
- *50 g de roquefort*
- *2 cuil. à soupe de crème fraîche épaisse*
- *6 cuil. à soupe d'huile d'olive*
- *2 cuil. à soupe de vinaigre de vin blanc*
- *sel, poivre*

1. Lavez la salade, essorez-la et mettez-la dans un saladier. Ecrasez le roquefort dans une assiette creuse, en y ajoutant un peu de sel, beaucoup de poivre, la crème fraîche, le vinaigre et l'huile.

2. Versez la sauce au roquefort sur la frisée, portez à table et mélangez au tout dernier moment.

☐ Vous pouvez ajouter à la sauce au roquefort 1 gousse d'ail passée au presse-ail.

☐ Variante :

Cette simple salade peut devenir un plat complet ; voici comment procéder :
Préparez 250 g de pommes de terre bouillies, gardez-les au chaud et au moment de servir, coupez-les en dés de 2 cm de côté. Otez la couenne d'une tranche de lard de poitrine fumé de 2 cm d'épaisseur et coupez cette tranche en fines lanières. Plongez-les 10 secondes dans de l'eau bouillante puis essorez-les, faites-les ensuite revenir dans une petite casserole sans matière grasse, jusqu'à ce qu'elles soient dorées. Gardes-les au chaud. Découpez une betterave en dés de 2 cm de côté. Préparez des tranches de baguette grillées et frottez-les d'ail.

Au moment de servir, préparez et assaisonnez la salade comme il est indiqué dans la recette, ajoutez-y tous les ingrédients cités plus haut, sauf les tranches de pain, et mélangez délicatement. Servez aussitôt avec les tranches de pain à part.

Les pâtés et les terrines sont des entrées peut-être difficiles à préparer mais qui présentent plusieurs avantages. D'une part, on peut les réaliser à l'avance, car pâtés et terrines sont nettement plus savoureux après un certain temps de repos ; d'autre part, ce sont presque toujours des préparations économiques. Le prix de revient des « rillettes de porc » faites à la maison est très bas comparé à celui des rillettes que l'on peut acheter toutes prêtes chez le charcutier ; et de plus, elles seront meilleures !

N'ayez pas peur d'avoir toujours dans votre réfrigérateur l'un de ces pâtés parfumés ou l'une de ces terrines délicates, qui sauront commencer agréablement un repas et qui seront appréciés lorsque vous aurez des convives à l'improviste.

★★ Pâté aux pistaches

Pour 6-8 pers. Prép. : 30 mn. Cuiss. : 1 h 30. Réfrig. : 12 h

- *500 g de porc : échine, palette, pointe*
- *150 g de foie de porc*
- *150 g de poitrine de porc fraîche*
- *50 g de pistaches décortiquées, non salées*
- *12 tranches fines de lard de poitrine fumé*
- *250 g de lard gras*
- *2 oignons*
- *4 cuil. à soupe d'eau-de-vie*
- *1 œuf*
- *4 pincées de quatre-épices*
- *1 branche de thym*
- *sel, poivre*

1. Pelez les oignons. Passez au hachoir la viande de porc, le foie, la poitrine, le lard gras et les oignons. Mettez ce hachis dans une terrine.

2. Cassez l'œuf et ajoutez-le au contenu de la terrine, avec l'eau-de-vie, le poivre, le sel et le quatre-épices. Mélangez bien le tout jusqu'à ce que vous obteniez une préparation homogène.

3. Allumez le four, thermostat 5 (170°). Tapissez de tranches de lard de poitrine fumé le fond et les parois d'une terrine de 1,5 litre de contenance, munie d'un couvercle. Emplissez la terrine avec la préparation précédente en la parsemant çà et là de pistaches. Aplatissez bien la surface et posez le couvercle.

4. Glissez la terrine au four dans un bain-marie et laissez cuire pendant 1 h 30.

5. Au bout de 1 h 30 de cuisson, retirez la terrine du four, ôtez le couvercle, laissez reposer pendant 30 mn puis posez une planchette et un poids par-dessus et laissez refroidir.

6. Lorsque le pâté est froid, remettez le couvercle et glissez la terrine au réfrigérateur. Laissez reposer pendant 12 heures au moins.

7. Au moment de servir, retirez la terrine du réfrigérateur et portez-la ainsi à table ou démoulez le pâté en passant une lame de couteau tout autour des parois de la terrine et en le retournant sur un plat de service.

☐ Dégustez ce pâté avec de la baguette bien croustillante ou du pain grillé, des cornichons, des olives…

Terrine de canard à l'orange

★★

Pour 8-10 p. Prép. : 1 h. Mar. : 12 h. Cuiss. : 1 h 30. Réfr. : 12 h

- *1 canard de 1,7 kg*
- *750 g de lard frais, gras et maigre mélangés*
- *3 œufs*
- *4 oranges non traitées*
- *4 cuil. à soupe de cognac*
- *2 clous de girofle*
- *4 cuil. à soupe de curaçao ou de Grand-Marnier*
- *4 pincées de quatre-épices*
- *sel*
- *poivre*
- *4 pincées de noix muscade*

1. Désossez le canard et ôtez-en la peau. Découpez les blancs en fines lanières et mettez-les, avec le reste de la chair, dans une terrine. Ôtez la couenne du lard et coupez ce dernier en gros cubes. Ajoutez-les dans la terrine, avec le foie du canard.

2. Lavez une orange et essuyez-la. Râpez finement son zeste sur une râpe à épices au-dessus de la terrine. Coupez-la en deux, pressez-la et versez le jus obtenu dans la terrine avec le curaçao et le cognac, ajoutez les clous de girofle, le poivre, le quatre-épices et la noix muscade. Mélangez bien et laissez mariner pendant 12 heures au réfrigérateur.

3. Au bout de ce temps, retirez les lanières de blanc de la marinade et passez le reste des viandes au hachoir à viande. Ajoutez du sel au hachis obtenu et mélangez bien.

4. Allumez le four, thermostat 5 (170°). Pelez 3 oranges à vif et coupez-les en rondelles de 1/2 cm d'épaisseur. Etalez-les, en les faisant se chevaucher, au fond d'une terrine d'une contenance de 2,5 litres munie d'un couvercle. Etalez une couche de hachis, puis une couche de lanières de blanc, et continuez ainsi en terminant par une couche de hachis. Mettez le couvercle et glissez la terrine au four, dans un bain-marie.

5. Laissez cuire la terrine de canard pendant 1 h 30.

6. Au bout de ce temps, retirez la terrine du four, ôtez le couvercle, laissez reposer pendant 30 mn puis posez dessus une planchette et un poids et laissez refroidir.

7. Lorsque la terrine est froide, ôtez le poids et la planchette, remettez le couvercle et glissez la terrine au réfrigérateur. Laissez reposer pendant 12 h au moins.

8. Au moment de servir, passez une lame de couteau tout autour de la terrine et retournez-la sur un plat de service.

☐ Servez cette terrine très parfumée avec du pain grillé, des cerises et des oignons au vinaigre.

Jambon persillé

Pour 8 personnes. Préparation et cuisson : 2 h 30. Réfrigération : 12 h

- *1,5 kg de jambon cuit*
- *2 pieds de veau coupés en deux*
- *2 oignons*
- *2 échalotes*
- *2 gousses d'ail*
- *1 bouquet garni : 1 feuille de laurier, 1 branche de thym 6 tiges de persil, 2 côtes de céleri*
- *2,5 dl de vin blanc sec*
- *2 cuil. à soupe de cognac*
- *2 cuil. à soupe de persil plat ciselé*
- *2 cuil. à soupe de cerfeuil ciselé*
- *4 clous de girofle*
- *6 grains de poivre*
- *sel, poivre*

1. Coupez le jambon en cubes de 2,5 cm de côté. Pelez les oignons et piquez-les avec les clous de girofle. Liez les éléments du bouquet garni. Faites bouillir de l'eau dans une grande casserole, plongez-y les pieds de veau, faites-les blanchir 5 mn puis égouttez-les et passez-les sous l'eau courante.

2. Mettez les morceaux de jambon dans une marmite, ajoutez-y les oignons, le bouquet garni, les pieds de veau et les grains de poivre. Versez le vin, couvrez d'eau froide, portez à ébullition et laissez cuire à petits frémissements pendant 1 h 30.

3. Pendant ce temps, pelez les échalotes et les gousses d'ail et hachez-les menu.

4. Au bout de 1 h 30, retirez la marmite du feu et laissez tiédir son contenu. Egouttez ensuite les morceaux de jambon et mettez-les dans un moule de votre choix ; ajoutez-y le cognac, le hachis d'ail et d'échalotes, les fines herbes, poivrez et salez et mélangez bien.

5. Otez les pieds de veau de la marmite et passez le bouillon à travers une passoire tapissée d'une mousseline. Versez le bouillon dans le moule, jusqu'à ce qu'il recouvre les morceaux de jambon, tassez avec le plat de la main et mettez au réfrigérateur.

6. Laissez prendre le jambon en gelée pendant 12 heures.

7. Au moment de servir, plongez le moule pendant quelques secondes dans de l'eau bouillante puis démoulez le jambon persillé sur un plat de service.

☐ Servez avec une salade verte, des cornichons et des olives.

Ballottine de volaille

Pour 10 personnes. Marinade : 5 h. Prép. : 1 h. Cuisson : 4 h 30. Réfrig. : 12 h

- 1 gros canard ou
  1 poularde
- 250 g de porc : palette
  ou filet
- 250 g de veau : épaule
- 150 g de lard frais
- 150 g de foies
  de volaille
- 250 g de champignons
  de Paris
- 2 oignons
- 2 cuil. à soupe
  de persil plat ciselé
- 1 citron non traité
- 4 cuil. à soupe de porto
- 4 pincées de quatre-épices
- 4 pincées de noix muscade
- 25 g de beurre
- sel, poivre

Pour la cuisson :
- les os et les abattis
  de la volaille
- 1 oignon
- 2 carottes
- 2 poireaux
- 2 côtes de céleri
- 1 branche de thym
- 2 feuilles de laurier
- 6 tiges de persil
- 2 clous de girofle
- 1 litre de vin blanc sec
- 10 grains de poivre
- sel

1. Demandez à votre volailler de désosser la volaille et de vous réserver les os et les abattis. Prélevez la chair des pilons et ôtez la peau de la volaille. Posez la volaille sur un plat, poudrez-en l'intérieur de sel, poivre, quatre-épices et noix muscade. Versez la moitié du porto sur la chair de la volaille puis laissez-la mariner pendant 5 heures au réfrigérateur.

2. Pendant ce temps, préparez le fond de cuisson : pelez l'oignon et piquez-le avec les clous de girofle. Pelez les carottes et les poireaux, lavez-les avec les côtes de céleri et coupez-les grossièrement. Mettez l'oignon, les carottes, le céleri, les poireaux, le thym, le laurier, le poivre et du sel dans une marmite. Ajoutez les os et les abattis de volaille, versez 3 litres d'eau et portez à ébullition. Laissez cuire pendant 3 heures à petits frémissements en écumant pendant les 15 premières minutes.

3. Préparez la farce : nettoyez les foies de volailles et coupez-les en cubes de 1/2 cm de côté. Otez la partie terreuse du pied des champignons de Paris, lavez-les, essorez-les et hachez-les grossièrement. Pelez les oignons et hachez-les menu. Faites fondre le beurre dans une poêle et faites-y revenir les oignons pendant 2 mn en remuant avec une spatule, puis ajoutez les champignons et laissez-les revenir à feu vif, jusqu'à ce qu'il n'y ait plus de liquide dans la poêle. Ajoutez enfin les foies de volailles et faites-les revenir pendant 3 mn, jusqu'à ce qu'ils soient bien dorés à l'extérieur et rosés à l'intérieur. Retirez du feu.

4. Passez le porc, le veau et le lard au hachoir à viande. Mettez le hachis obtenu dans une terrine, ajoutez-y le contenu de la poêle, le persil, le reste du porto, du sel, du poivre et de la noix muscade. Lavez le citron, essuyez-le et râpez-en le zeste au-dessus de la terrine. Mélangez bien le tout jusqu'à ce que vous obteniez une farce homogène.

5. Au bout de 3 heures de cuisson du fond, passez-le à travers une passoire fine et remettez-le dans la marmite, versez-y le vin, portez à ébullition et laissez frémir pendant 30 mn.

6. Retirez la volaille du réfrigérateur et posez-la à plat sur le plan de travail ; tartinez la chair de farce, en laissant une bordure libre de 6 cm. Rabattez les bords sur la farce et ficelez la volaille avec un fil de cuisine, comme un rôti. Enveloppez la ballottine dans une mousseline ou dans un torchon fin. Fermez-en les extrémités avec un fil de cuisine, sans trop serrer.

7. Plongez la ballottine dans le fond de cuisson en ébullition et laissez cuire à petits frémissements pendant 1 h 30.

8. Au bout de ce temps, allumez le gril du four. Retirez la ballottine du fond de cuisson et ôtez la mousseline. Posez la ballottine dans un plat à four et glissez-la au four, pas trop près de la source de chaleur. Laissez cuire pendant environ 10 mn, jusqu'à ce que la surface de la volaille soit dorée. Retirez du four et laissez refroidir.

9. Lorsque la ballottine est froide, mettez-la au réfrigérateur et laissez-la reposer pendant 12 heures au moins avant de servir.

10. Au moment de servir, découpez la ballottine en tranches de 1 cm de côté.

☐ Servez la ballottine avec une salade verte, des cornichons et des olives.

Terrine de légumes

- 1 kg de courgettes
- 500 g d'épinards frais
- 2 gros oignons
- 250 g de fromage blanc très égoutté : ricotta
- 100 g de chapelure blanche
- 2 œufs
- 4 cuil. à soupe de persil plat ciselé
- 2 cuil. à soupe de basilic ciselé
- 5 cuil. à soupe d'huile d'olive
- noix muscade
- sel, poivre

1. Lavez les courgettes, ôtez-en les extrémités et coupez chaque courgette en fines rondelles. Pelez les oignons, émincez-les. Faites chauffer 2 cuillerées à soupe d'huile dans une sauteuse et faites-y cuire oignons et courgettes à feu doux, en remuant de temps en temps, jusqu'à ce que les légumes soient tendres.

2. Lavez les épinards, ôtez-en les tiges. Mettez les épinards, sans les égoutter, dans une marmite, couvrez et posez la marmite sur feu vif. Laissez cuire pendant 5 mn puis égouttez les épinards dans une passoire en appuyant bien sur les légumes afin d'en éliminer le maximum d'eau. Hachez-les ensuite au couteau. Faites chauffer l'huile dans une poêle et faites-y revenir les épinards, jusqu'à ce qu'ils soient bien secs.

3. Mettez les courgettes et les oignons dans le bol d'un mixer et réduisez le tout en purée. Ajoutez le fromage blanc, la chapelure et les œufs et laissez tourner l'appareil pendant encore 1 mn. Versez la purée obtenue dans une terrine, ajoutez-y le persil et le basilic, du sel, du poivre et de la noix muscade. Mélangez bien.

4. Allumez le four, thermostat 5 (170°). Huilez un moule à cake, de 1,5 litre de contenance, avec la dernière cuillerée d'huile. Mettez les épinards dans une terrine, salez et mélangez.

5. Etalez la moitié de la préparation à base de courgettes dans le moule huilé. Etalez dessus les épinards et recouvrez-les du reste de la préparation aux courgettes. Lissez la surface avec une spatule. Couvrez la terrine d'une feuille de papier sulfurisé ou de papier d'aluminium.

6. Posez la terrine dans un bain-marie et laissez-la cuire au four pendant 1 h 15 environ, jusqu'à ce que la surface de la terrine soit ferme lorsque vous la touchez avec un doigt.

7. Lorsque la terrine est cuite, retirez le moule du four et laissez refroidir. Glissez ensuite le moule au réfrigérateur et laissez reposer pendant 12 heures.

8. Au moment de servir, faites glisser un couteau le long des parois du moule et retournez la terrine sur un plat de service. Servez-la en la découpant en tranches de 1 cm d'épaisseur.

☐ Accompagnez cette terrine d'une sauce tomate froide, crue ou cuite.

Rillettes de porc

Pour 15-20 personnes. Préparation : 30 mn. Cuisson : 6 h 30

- *2 kg de poitrine de porc fraîche*
- *250 g de panne de porc*
- *4 échalotes*
- *3 clous de girofle*
- *2 branches de thym*
- *2 feuilles de laurier*
- *1 gousse d'ail*
- *1 cuil. à soupe de sel fin*
- *1/2 cuil. à café de quatre-épices*
- *1/2 cuil. à café de piment de Cayenne*

1. Pelez les échalotes et coupez-les en quatre. Mettez-les dans une mousseline avec thym, laurier, clous de girofle et ail. Refermez la mousseline et faites-en un petit sachet que vous fermez avec un fil de cuisine.

2. Otez la couenne du porc et éventuellement les os. Coupez la poitrine de porc en morceaux de 4 cm de côté.

3. Faites fondre 100 g de panne dans une cocotte et faites-y revenir les morceaux de porc jusqu'à ce qu'ils soient bien dorés. Egouttez-les avec une écumoire, passez la graisse de cuisson dans une passoire tapissée d'une mousseline et réservez-la dans une terrine. Remettez les lardons dans la cocotte, ajoutez le sachet d'aromates et 3 dl d'eau. Faites cuire à feu très doux pendant 6 heures, en mélangeant fréquemment avec une cuillère en bois. Ajoutez un peu d'eau de temps en temps si elle s'évapore trop vite.

4. Au bout de ce temps, retirez le sachet d'aromates, ajoutez sel, quatre-épices et Cayenne. Mélangez et laissez cuire pendant encore 15 mn. Retirez ensuite du feu et laissez tiédir.

5. Retirez les morceaux de viande de la cocotte et écrasez-les à l'aide de deux four-chettes en y incorporant la graisse fondue.

6. Mettez les rillettes dans plusieurs pots de grès — ou bocaux de verre — en tassant bien pour éviter les poches d'air. Faites fondre les 150 g de panne restants et versez-les sur les rillettes. Laissez refroidir, couvrez de papier sulfurisé et mettez au réfrigérateur.

☐ Les rillettes se conservent un mois au réfrigérateur mais, une fois entamées, consommez-les dans les 2 jours.

ous avons regroupé dans ce chapitre des recettes ayant comme ingrédient principal soit des œufs, soit du fromage, soit des poissons ; recettes qui sont des plats principaux.

Une « timbale au jambon » est composée de jambon bien sûr, mais aussi d'œufs et de fromage ; une « tarte au crabe » comprend un produit de la mer, mais aussi des œufs... Tous ces ingrédients se confondent, et forment des plats riches et complets qui, accompagnés d'une salade, vous feront un délicieux repas pour le soir.

Truites à la moutarde

Pour 4 personnes. Préparation et cuisson : 45 mn

- *4 truites arc-en-ciel, vidées et grattées*
- *3 dl de vin blanc sec*
- *150 g de crème fraîche épaisse*
- *1 cuil. à café bombée de moutarde de Dijon*
- *1 citron non traité*
- *1 cuil. à soupe de persil plat ciselé*
- *4 feuilles de laurier*
- *sel, poivre*
- *1 jaune d'œuf*

Pour servir :
- *tranches de citron*
- *brins de persil*

1. Allumez le four, thermostat 6 (200°). Passez les truites sous l'eau courante, essuyez-les et mettez à l'intérieur de chacune une feuille de laurier. Lavez le citron, essuyez-le et coupez-en huit tranches fines ; mettez deux tranches à l'intérieur de chaque poisson.

2. Salez et poivrez les truites et posez-les dans un plat à four pouvant tout juste les contenir. Arrosez-les de vin blanc et ajoutez de l'eau jusqu'à ce que les poissons soient juste recouverts de liquide. Mettez une feuille de papier sulfurisé ou d'aluminium sur le plat et glissez-le au four. Laissez cuire pendant 20 mn.

3. Pendant ce temps, préparez la sauce : mettez la crème dans un bol, ajoutez-y le jaune d'œuf et battez à la fourchette en y incorporant la moutarde, du sel et du poivre. Ajoutez le persil et mélangez.

4. Lorsque les truites sont cuites, retirez-les du four. Otez-les du plat avec une spatule à fentes et mettez-les sur un plat de service tenu au chaud. Otez le laurier et les tranches de citron. Versez le jus de cuisson des truites dans une casserole et faites-le réduire de moitié à feu vif. Baissez la flamme, ajoutez le contenu du bol et mélangez pendant 1 mn, sans atteindre l'ébullition. Dès que la sauce est épaisse, versez-la en saucière.

5. Décorez les truites de tranches de citron et de brins de persil et servez-les toutes chaudes avec la sauce à part.

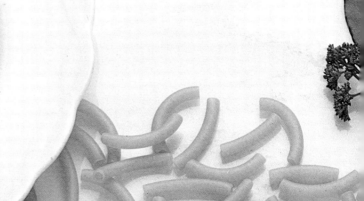

Timbale de pâtes au jambon

Pour 6 personnes. Préparation et cuisson : 2 h

- *150 g de pâtes : macaroni, sifflets...*
- *1/2 litre de lait*
- *1 tranche de jambon cuit de 200 g*
- *125 g de gruyère râpé*
- *50 g de beurre*
- *50 g de farine*
- *2 cuil. à soupe de persil plat ciselé*
- *2 œufs entiers + 1 jaune*
- *noix muscade*
- *sel, poivre*

Pour le moule :
- *10 g de beurre*

Pour la sauce tomate :
- *500 g de tomates mûres*
- *1 oignon*
- *1 gousse d'ail*
- *1 cuil. à soupe d'huile d'olive*
- *2 pincées de sucre*
- *sel*

1. Faites bouillir de l'eau dans une casserole, salez-la, plongez-y les pâtes et laissez cuire pendant 10 mn environ, jusqu'à ce que les pâtes soient cuites à point. Egouttez-les, passez-les sous l'eau courante puis égouttez-les à nouveau et réservez-les.

2. Versez le lait dans une seconde casserole, portez à ébullition puis retirez du feu. Faites fondre le beurre dans une troisième casserole, ajoutez-y la farine, remuez pendant 1 mn sur feu doux puis versez peu à peu le lait chaud. Laissez cuire pendant 10 mn environ, en remuant souvent, jusqu'à ce que la sauce soit épaisse.

3. Allumez le four, thermostat 6 (200°). Coupez le jambon en petits dés. Cassez les œufs dans un bol, ajoutez le jaune et battez le tout avec une fourchette en y incorporant sel, poivre et noix muscade, puis le persil.

4. Lorsque la sauce est cuite, retirez la casserole du feu et ajoutez-y les pâtes. Mélangez bien et laissez tiédir. Ajoutez ensuite le contenu de la terrine puis le fromage. Mélangez bien.

5. Beurrez un moule à charlotte de 1 litre de contenance et versez-y la préparation. Couvrez le moule d'une feuille de papier sulfurisé ou d'aluminium et glissez le moule au four. Laissez cuire pendant 1 heure, jusqu'à ce que la surface de la timbale soit ferme sous la pression du doigt.

6. Pendant ce temps, préparez la sauce tomate ; pelez l'oignon et émincez-le. Lavez les tomates, coupez-les en quatre. Pelez la gousse d'ail et coupez-la en quatre. Faites chauffer l'huile dans une sauteuse et faites-y revenir l'oignon à feu doux pendant 2 mn, en remuant avec une spatule. Ajoutez l'ail, mélangez pendant 1 mn puis ajoutez les tomates, le sucre et du sel. Laissez cuire à feu vif pendant 15 mn. Passez ensuite la sauce au moulin à légumes, grille moyenne, et gardez-la au chaud dans une casserole.

7. Lorsque la timbale est cuite, retirez le moule du four et retournez la timbale sur un plat de service. Servez la sauce en saucière.

8. Servez la timbale et la sauce à part, en saucière, toutes les deux bien chaudes.

Soupe de poissons ★★

Pour 6 personnes. Préparation : 30 mn. Cuisson : 15 mn

- *2 kg de poissons mélangés : cabillaud, loup, baudroie...*
- *250 g de crevettes cuites décortiquées*
- *2 grosses tomates mûres*
- *2 oignons rouges*
- *2 blancs de poireaux*
- *1 branche de fenouil*
- *1 branche de thym*
- *1 feuille de laurier*
- *1 dl d'huile d'olive*
- *6 pincées de safran*
- *2 gousses d'ail*
- *sel, poivre*

Pour l'aïoli :
- *1 jaune d'œuf*
- *1 cuil. à café de moutarde*
- *2 gousses d'ail*
- *2,5 dl d'huile d'olive*
- *sel*

1. Ecaillez les poissons, videz-les et essorez-les. Coupez-les en tronçons. Lavez les tomates, essuyez-les et coupez-les en petits morceaux. Pelez les gousses d'ail et les oignons et hachez-les. Lavez les blancs de poireaux et hachez-les grossièrement.

2. Faites chauffer l'huile dans une cocotte, ajoutez le hachis d'ail et d'oignons et les poireaux. Mélangez pendant 1 mn puis ajoutez les tomates, le fenouil, le thym et le laurier. Couvrez et laissez suer les légumes à feu très doux pendant 5 mn.

3. Versez 2,5 dl d'eau dans une casserole et portez à ébullition. Lorsque les légumes ont sué pendant 5 mn, ajoutez le safran, mélangez et retirez du feu. Posez les poissons dans la cocotte, remettez la cocotte sur feu vif, versez-y délicatement l'eau, salez, poivrez et laissez cuire à feu vif et à découvert pendant 10 mn.

4. Pendant ce temps, préparez l'aïoli : mettez le jaune d'œuf et la moutarde dans un bol. Pelez les gousses d'ail et passez-les au presse-ail au-dessus du bol. Ajoutez le sel, mélangez et laissez reposer pendant 1 mn. Versez alors l'huile en mince filet et battez au fouet jusqu'à ce que vous obteniez une sauce ferme.

5. Lorsque les poissons sont cuits, retirez-les délicatement à l'aide d'une écumoire et mettez-les dans une soupière chaude en les arrosant d'un peu de bouillon. Passez le reste du bouillon au tamis et remettez-le dans la cocotte afin de le réchauffer. Ajoutez les crevettes et laissez frémir pendant 1 mn.

6. Versez le bouillon chaud sur les poissons et servez tout chaud, avec l'aïoli à part.

☐ Accompagnez cette soupe de tranches de pain grillées, frottées ou non d'ail, selon votre goût.

☐ Vous pouvez laisser les oignons dans la soupe, sans la passer au tamis ; dans ce cas, pelez les tomates afin que la peau ne gâche pas le bouillon.

Matafam ★

Pour 4 personnes. Préparation : 20 mn. Cuisson : 15 mn

- *100 g de jambon cuit*
- *100 g de gruyère râpé*
- *100 g de farine*
- *4 œufs*
- *50 g de beurre*
- *noix muscade*
- *sel*
- *poivre*

1. Cassez les œufs dans une terrine et battez-les à la fourchette en y incorporant sel, poivre et noix muscade. Tamisez la farine au-dessus de la terrine et travaillez le tout jusqu'à obtention d'une préparation lisse.

2. Coupez le jambon en petits morceaux. Mettez-les dans une poêle à revêtement anti-adhésif et faites-les revenir jusqu'à ce qu'ils soient dorés. Retirez-les de la poêle et ajoutez-les dans la terrine avec le fromage. Mélangez bien.

3. Faites fondre la moitié du beurre dans une grande poêle et versez-y la préparation. Couvrez et laissez cuire à feu doux pendant 7 mn, jusqu'à ce que la crêpe soit prise. Faites-la alors glisser sur un plat et faites fondre le reste de beurre dans la poêle. Remettez-y la crêpe, côté cru contre le fond de la poêle. Couvrez à nouveau et laissez cuire pendant 5 à 7 mn, jusqu'à ce que la crêpe soit bien cuite et dorée.

4. Faites glisser la crêpe sur un plat de service et servez-la toute chaude, ou froide.

☐ Accompagnez ce matafam d'une salade verte, s'il est chaud. Froid, vous le servirez avec des tomates, des cornichons, des oignons nouveaux...

★ La râpée

Pour 4 personnes. Préparation et cuisson : 1 h

- 750 g de pommes de terre à chair ferme
- 2 échalotes
- 1 gousse d'ail
- 4 œufs
- 150 g de crème fraîche épaisse
- 100 g de gruyère râpé
- 25 g de beurre
- sel, poivre

1. Pelez les échalotes et la gousse d'ail et hachez-les menu. Faites fondre la moitié du beurre dans une petite poêle et faites-y revenir le hachis d'ail et d'échalotes, à feu doux, pendant 3 mn en remuant avec une spatule.

2. Versez le contenu de la poêle dans une terrine, cassez-y les œufs, ajoutez la crème, le gruyère, du sel et du poivre. Battez le tout à la fourchette.

3. Allumez le four, thermostat 6 (200°). Pelez les pommes de terre, lavez-les, égouttez-les et râpez-les dans une râpe cylindrique à grosse grille, ou dans un robot. Lavez les pommes de terre râpées dans plusieurs eaux puis égouttez-les bien dans un torchon.

4. Beurrez un plat à gratin avec le reste de beurre. Ajoutez les pommes de terre dans la terrine, mélangez bien puis versez la préparation dans le plat beurré, sur une épaisseur de 3 cm. Glissez le plat au four et laissez cuire pendant 25 à 30 mn, jusqu'à ce que la surface du gratin soit dorée.

5. Lorsque le gratin est cuit, retirez le plat du four et portez le gratin à table dans son plat de cuisson. Dégustez chaud, tiède ou froid.

Gougère aux foies de volailles

Pour 6 personnes. Préparation et cuisson : 1 h

Pour la pâte à choux :
- *150 g de farine*
- *100 g de beurre*
- *100 g de gruyère râpé*
- *4 œufs*
- *1/2 cuil. à café de piment en poudre*
- *sel, poivre*
- *1 cuil. à café d'huile*
- *1 blanc d'œuf*

Pour la garniture :
- *500 g de foies de volailles*
- *1 oignon*
- *1 gousse d'ail*
- *3 cuil. à soupe de xérès sec*
- *100 g de crème fraîche épaisse*
- *1 cuil. à soupe de persil plat ciselé*
- *25 g de beurre*
- *sel, poivre*

1. Allumez le four, thermostat 7 (230°). Huilez la plaque du four. Préparez la pâte à choux : tamisez la farine. Mettez 2,5 dl d'eau dans une casserole, ajoutez le beurre et posez la casserole sur feu doux. Dès le premier bouillon, retirez la casserole du feu, ajoutez la farine en mélangeant avec une spatule. Remettez la casserole sur le feu, continuez à travailler la pâte pendant 1 mn puis retirez du feu. Hors du feu, ajoutez les œufs un à un, en attendant que le premier soit bien incorporé avant d'ajouter le suivant. Lorsque la pâte est lisse, ajoutez-y sel, poivre, piment, gruyère et mélangez une dernière fois.

2. Mettez la pâte dans une poche à pâtisserie munie d'une douille lisse de 1,5 cm de diamètre. Posez au centre de la plaque du four une assiette de 16 cm de diamètre et posez un cordon de pâte autour de l'assiette. Otez l'assiette, déposez un second cordon à l'intérieur du premier et un troisième à cheval sur les deux précédents. Battez le blanc d'œuf à la fourchette jusqu'à ce qu'il mousse, puis badigeonnez, à l'aide d'un pinceau, la surface de la pâte. Glissez la plaque au four et laissez cuire pendant 15 mn puis baissez le thermostat à 5 (180°) et laissez cuire pendant encore 15 mn. Lorsque la pâte est bien dorée et gonflée, éteignez le four, entrouvrez la porte et laissez la couronne de pâte pendant encore 5 mn dans le four afin qu'elle ne retombe pas lorsque vous la sortirez du four.

3. Pendant la cuisson de la pâte à choux, préparez les foies de volailles : nettoyez-les et coupez-les en morceaux de 2 cm de côté. Pelez l'ail et l'oignon et hachez-les menu.

4. Faites fondre le beurre dans une poêle et faites-y revenir le hachis d'ail et d'oignon à feu doux pendant 3 mn, en remuant avec une spatule. Ajoutez les foies de volailles et laissez-les cuire pendant 3 mn, à feu vif, jusqu'à ce qu'ils soient dorés à l'extérieur et rosés à l'intérieur. Versez le xérès et laissez-le s'évaporer à feu vif. Salez, poivrez et retirez les foies de la poêle. Gardez-les au chaud. Versez la crème dans la poêle et faites-la réduire de moitié à feu vif, en mélangeant avec une spatule.

5. Mettez la couronne de pâte à choux dans un plat de service, déposez les foies de volailles dans le creux et arrosez-les avec la crème fraîche réduite. Parsemez le tout de persil et servez sans attendre la pâte tiède et les foies de volaille bien chauds.

Quiche aux fromages

Pour 4-6 personnes. Préparation : 30 mn. Repos : 1 h. Cuisson : 30 mn

Pour la pâte :
- *125 g de farine*
- *75 g de beurre mou*
- *4 pincées de sel*

Pour la garniture :
- *100 g de gruyère râpé*
- *100 g de parmesan râpé*
- *100 g de roquefort*
- *2 œufs*
- *150 g de crème fraîche épaisse*
- *noix muscade*
- *sel, poivre*

Pour le moule :
- *15 g de beurre*

1. Préparez la pâte : tamisez la farine et le sel au-dessus d'une terrine. Coupez le beurre en noisettes et faites-le pénétrer dans la farine en travaillant du bout des doigts et en y ajoutant 2 à 3 cuillerées d'eau. Lorsque vous obtenez une pâte lisse et homogène, roulez-la en boule et laissez-la reposer au frais pendant 1 heure.

2. Au bout de ce temps, reprenez la pâte. Beurrez un moule à quiche de 24 cm de diamètre. Etalez la pâte au rouleau à pâtisserie et garnissez-en le moule. Mettez le moule au frais pendant que vous préparez la garniture.

3. Allumez le four, thermostat 7 (230°). Préparez la garniture : écrasez très finement le roquefort à la fourchette en y incorporant la crème. Cassez les œufs dans une terrine, ajoutez-y le mélange crème-roquefort, le gruyère, le parmesan, de la noix muscade, du poivre et peu de sel. Mélangez bien.

4. Reprenez le moule et versez-y la préparation. Glissez le moule au four et laissez cuire pendant 30 mn environ, jusqu'à ce que la pâte et la garniture soient dorées. Retirez du four et laissez reposer pendant 10 mn.

5. Portez la quiche à table dans son moule ou démoulez-la sur un plat de service avant de la déguster tiède.

Tarte au crabe

Pour 6 personnes. Préparation : 20 mn. Cuisson : 35 mn

- 250 g de pâte brisée
- 250 g de chair de crabe
- 200 g de crème fraîche épaisse
- 3 œufs
- 4 cuil. à soupe de lait
- 30 g de beurre
- 2 oignons
- noix muscade
- sel, poivre

1. Allumez le four, thermostat 7 (230°). Pelez les oignons et émincez-les finement.

2. Faites fondre 20 g de beurre dans une poêle et faites-y revenir les oignons à feu doux pendant 5 mn, en tournant de temps en temps avec une spatule, sans les laisser se colorer.

3. Cassez les œufs dans une terrine et battez-les en omelette en y incorporant le lait, la crème, sel, poivre et noix muscade. Ajoutez la chair de crabe en l'émiettant entre vos doigts, puis quand ils sont cuits, les oignons.

4. Etalez la pâte au rouleau à pâtisserie. Beurrez avec le reste de beurre un moule à quiche de 24 cm de diamètre et garnissez-le de pâte. Piquez le fond de quelques coups de fourchette.

5. Versez la préparation dans le moule et lissez-en la surface à l'aide d'une spatule. Glissez le moule au four et laissez cuire pendant 35 mn environ, jusqu'à ce que la surface de la tarte soit dorée.

6. Lorsque la tarte est cuite, retirez-la du four, démoulez-la sur un plat de service et dégustez tout chaud, ou tiède.

Tarte à l'oignon

Pour 6 personnes. Préparation : 20 mn. Cuisson : 55 mn

- *250 g de pâte brisée*
- *1 kg de gros oignons*
- *60 g de beurre*
- *2 dl de lait*
- *200 g de crème fraîche épaisse*
- *2 œufs entiers + 2 jaunes*
- *noix muscade*
- *sel, poivre*

1. Pelez les oignons et émincez-les. Faites fondre 50 g de beurre dans une sauteuse et faites-y revenir les oignons à feu doux sans les laisser prendre couleur, pendant 20 mn environ. Ils doivent être très tendres. Mélangez souvent pendant la cuisson.

2. Pendant ce temps, beurrez avec le reste de beurre un moule à quiche de 24 cm de diamètre. Abaissez la pâte au rouleau à pâtisserie et garnissez-en le moule. Piquez le fond de quelques coups de fourchette. Mettez le moule au réfrigérateur.

3. Cassez les œufs entiers et mettez-les dans une terrine, ajoutez-y les jaunes d'œufs, du sel, du poivre et de la noix muscade râpée. Battez à l'aide d'une fourchette en incorporant le lait et la crème fraîche.

4. Allumez le four, thermostat 7 (230°). Lorsque les oignons sont cuits, retirez-les du feu. Retirez le moule du réfrigérateur. Salez et poivrez légèrement les oignons et garnissez-en le moule. Versez dessus le contenu de la terrine.

5. Glissez le moule au four et laissez cuire la tarte pendant environ 35 mn, jusqu'à ce que le dessus de la pâte soit doré.

6. Lorsque la tarte est cuite, retirez-la du four, démoulez-la, posez-la sur un plat de service et dégustez tout chaud, ou tiède.

Sardines grillées marinées ★★

Pour 4 pers. Prép. : 20 mn. Marinade : 1 h. Cuiss. : 5 mn

- 1 kg de sardines fraîches
- 6 cuil. à soupe d'huile d'olive
- 3 cuil. à soupe de jus de citron
- 4 gousses d'ail
- 2 cuil. à soupe de persil plat ciselé
- sel
- poivre

Pour servir :
- quartiers de citron

1. Ecaillez les sardines, videz-les, ouvrez-les en deux et ôtez-en l'arête centrale. Passez les poissons sous l'eau courante et essorez-les dans du papier absorbant.

2. Pelez les gousses d'ail et passez-les au presse-ail au-dessus d'une terrine. Si vous n'avez pas d'ail nouveau, n'oubliez pas d'ôter les germes verts au centre des gousses et, si l'ail est un peu fort, n'en utilisez que deux gousses. Versez le jus de citron et l'huile dans la terrine, ajoutez le persil, salez, poivrez et battez le tout avec une fourchette.

3. Mettez les sardines dans la terrine contenant la marinade, mélangez délicatement afin que les poissons soient tous enrobés de marinade, couvrez et laissez mariner au réfrigérateur pendant 1 heure.

4. Au bout de ce temps, retirez les poissons du réfrigérateur. Allumez le gril du four. Retirez les poissons de la terrine et rangez-les sur la grille du four au-dessus de la lèchefrite. Arrosez-les du reste de marinade.

5. Glissez les poissons au four et laissez-les cuire pendant 5 mn, en les arrosant éventuellement de la marinade qui s'écoule dans la lèchefrite.

6. Rangez les sardines dans un plat de service avec des quartiers de citron et dégustez-les toutes chaudes.

☐ Vous pouvez servir ces sardines avec des oignons nouveaux et du pain de campagne.

Maquereaux à la sauce au concombre ★

Pour 4 personnes. Préparation et cuisson : 30 mn

- 4 maquereaux
- 1 concombre
- 2 cuil. à soupe d'huile d'olive
- 2 yaourts entiers
- 4 cuil. à soupe de jus de citron
- 1 cuil. à soupe de persil plat ciselé
- sel, poivre

1. Allumez le gril du four. Videz les maquereaux et ôtez-en les têtes. Passez les poissons sous l'eau courante, essuyez-les, salez-les et poivrez-les sur les deux faces et à l'intérieur, puis rangez-les sur la grille du four au-dessus de la lèchefrite.

2. Glissez le plat au four, pas trop près de la source de chaleur et laissez-les cuire 5 mn de chaque côté.

3. Pendant ce temps, préparez la sauce : lavez le concombre, essuyez-le, réservez-en quelques tranches pour la décoration du plat, puis coupez le reste en quatre dans le sens de la longueur et éliminez-en les graines. Coupez le concombre en tronçons et mettez-les dans le bol d'un mixer avec le jus de citron, l'huile, les yaourts, sel et poivre. Faites tourner l'appareil jusqu'à ce que vous obteniez une sauce lisse et homogène.

4. Lorsque les poissons sont cuits, retirez-les du four et mettez-les dans un plat de service. Nappez-les avec la sauce au concombre que vous avez préparée, parsemez-les de persil et décorez de tranches de concombre. Servez aussitôt.

Coquilles Saint-Jacques au cidre

★★

Pour 4 personnes. Préparation : 10 mn. Cuisson : 10 mn

- *16 coquilles Saint-Jacques*
- *2,5 dl de cidre brut*
- *100 g de crème fraîche épaisse*
- *4 échalotes*
- *60 g de beurre*
- *50 g de chapelure*
- *noix muscade*
- *sel*
- *poivre*

1. Ouvrez les coquilles Saint-Jacques. Détachez les noix et le corail des coquilles et ôtez les barbes qui les entourent. Lavez et épongez noix et corail, et coupez les noix en deux dans l'épaisseur. Pelez les échalotes et hachez-les menu.

2. Faites fondre la moitié du beurre dans une sauteuse et faites-y revenir les échalotes à feu doux. Arrosez-les de cidre, portez à ébullition puis baissez la flamme. Plongez les noix dans le liquide, salez, poivrez et laissez frémir pendant 3 mn. Ajoutez le corail et laissez frémir pendant encore 2 mn.

3. Egouttez les noix et le corail et gardez-les au chaud. Faites réduire le jus de cuisson à feu vif jusqu'à ce qu'il en reste 1 dl. Ajoutez la crème et laissez réduire la sauce jusqu'à ce que qu'elle nappe la cuillère.

4. Lavez 8 coquilles creuses, essuyez-les et répartissez-y les noix et le corail. Lorsque la sauce est cuite, nappez-en les noix et le corail. Répartissez le reste du beurre en noisettes sur les coquilles et poudrez de chapelure.

5. Allumez le gril du four. Rangez les coquilles dans un plat à four et faites-les gratiner près de la source de chaleur pendant quelques minutes.

6. Rangez les coquilles dans un plat de service et dégustez tout chaud.

Moules en brochettes ★

Pour 4 personnes. Préparation et cuisson : 30 mn

- *32 grosses moules : Hollande ou Espagne*
- *4 tranches fines de poitrine fumée*
- *1 poivron vert*
- *1 poivron rouge*
- *2 gousses d'ail*
- *1,5 dl de vin blanc sec*
- *poivre*

1. Grattez les moules, ôtez-en le byssus et passez-les sous l'eau courante. Mettez-les dans une casserole, couvrez et posez la casserole sur feu vif. Laissez cuire les moules, en les retournant de temps en temps, jusqu'à ce qu'elles soient ouvertes.

2. Coupez chaque tranche de poitrine fumée en 4 morceaux. Lavez les poivrons, essuyez-les et coupez chaque poivron en 16 morceaux.

3. Pelez les gousses d'ail et passez-les au presse-ail au-dessus d'une terrine. Ajoutez-y le vin et poivrez abondamment. Lorsque les moules sont cuites, enlevez les coquilles et mettez-les dans la terrine. Mélangez bien.

4. Allumez le gril du four. Enfilez sur 8 brochettes, en les alternant, 4 moules, 2 morceaux de poivron rouge, 2 morceaux de poivron vert et 2 morceaux de poitrine fumée.

5. Posez les brochettes sur la grille du four au-dessus de la lèchefrite et glissez-les au four, pas trop près de la source de chaleur et laissez cuire pendant 5 mn, en retournant régulièrement les brochettes et en les arrosant avec le vin blanc parfumé à l'ail.

6. Lorsque les brochettes sont cuites, retirez-les du four, rangez-les sur un plat de service et dégustez-les aussitôt.

☐ Vous pouvez servir ces brochettes avec des quartiers de citron.

Soles aux crevettes ★★

Pour 4 personnes. Préparation et cuisson : 45 mn

- *4 soles de 300 g chacune*
- *200 g de crevettes roses décortiquées*
- *1 fenouil*
- *2 tomates mûres à point*
- *1 gousse d'ail*
- *150 g de crème fraîche épaisse*
- *20 g de beurre*
- *2 cuil. à soupe d'huile*
- *sel*
- *poivre*

1. Demandez à votre poissonnier de dépouiller les soles et de lever les filets. Otez la première enveloppe du fenouil, lavez ce dernier, essuyez-le et coupez-le en fines tranches. Plongez les tomates dans l'eau bouillante pendant 10 secondes. Passez-les ensuite sous l'eau courante, pelez-les, coupez-les en deux et pressez-les pour en éliminer les graines ; coupez la pulpe en lanières. Pelez la gousse d'ail et passez-la au presse-ail au-dessus d'un bol.

2. Faites fondre le beurre dans une grande poêle. Faites-y cuire les filets de sole pendant 8 mn, en les retournant à mi-cuisson. Salez-les et poivrez-les en fin de cuisson. Retirez-les de la poêle et gardez-les au chaud. Eliminez le gras de cuisson de la poêle et essuyez-la avec un papier absorbant.

3. Faites chauffer l'huile dans la poêle et faites-y revenir les tranches de fenouil à feu doux, pendant 5 mn, en les retournant avec une spatule. Ajoutez l'ail, mélangez pendant 1 mn puis ajoutez les lanières de tomates. Laissez cuire pendant encore 5 mn, sans cesser de remuer.

4. Au bout de ce temps, versez la crème dans la poêle et laissez-la réduire de moitié. Ajoutez alors les crevettes et mélangez pendant 2 mn. Remettez les filets de sole dans la poêle, juste pour les réchauffer, sur feu très doux.

5. Rangez les filets de sole sur un plat de service, recouvrez-les de crevettes, nappez-les de sauce, poivrez et servez tout chaud.

★★

Poisson au cidre

Pour 4 personnes. Préparation : 10 mn. Cuisson : 25 mn

- *4 tranches de poisson blanc : lieu, merlan, colin...*
- *1/2 bouteille de cidre brut*
- *2 échalotes*
- *125 g de crème fraîche épaisse*
- *1 cuil. à soupe de persil plat ciselé*
- *50 g de beurre*
- *sel, poivre*

1. Allumez le four, thermostat 7 (230°). Pelez les échalotes et hachez-les menu. Avec la moitié du beurre, beurrez un plat allant au four pouvant contenir les quatre tranches de poisson les unes à côté des autres.

2. Etalez les échalotes dans le plat. Posez les tranches de poisson sur ce lit d'échalotes, salez et poivrez. Versez le cidre, jusqu'à ce qu'il arrive au ras du poisson. Coupez le reste de beurre en noisettes et parsemez-en le poisson.

3. Glissez le plat au four et laissez cuire pendant 20 mn, en arrosant le poisson de temps en temps avec le jus de cuisson.

4. Au bout de ce temps, retirez le plat du four et mettez les tranches de poisson dans un plat de service. Gardez-les au chaud dans le four éteint. Posez le plat sur un feu vif et faites réduire le jus de cuisson jusqu'à ce qu'il vous en reste environ 1,5 dl.

5. Versez la crème dans le plat, laissez bouillir pendant 1 mn puis retirez le plat du feu. Ajoutez le persil et mélangez.

6. Nappez les tranches de poisson de sauce et servez tout chaud.

☐ Vous pouvez préparer de la même façon un poisson entier : limande, carrelet, bar ou dorade.

Après les poissons, voici tout naturellement les viandes et les volailles. Vous trouverez dans ce chapitre des recettes traditionnelles comme le « filet de porc tourangeau » ou le « poulet au fromage », recettes traditionnelles, mais simplifiées et très faciles à réaliser. Vous découvrirez aussi des recettes originales comme la « palette au four » ou les « blancs de poulet au foie gras ».

Tournedos sauce moutarde

★

Pour 4 personnes. Préparation : 10 mn. Cuisson : 10 mn

- 4 tournedos de 150 g chacun
- 4 échalotes
- 2 cuil. à café de moutarde de Dijon
- 1 dl de vin blanc sec
- 1 cuil. à soupe de crème fraîche épaisse
- 20 g de beurre
- 1 cuil. à soupe d'huile
- sel
- poivre

1. Pelez les échalotes et hachez-les menu. Faites chauffer l'huile dans une poêle, ajoutez-y le beurre et faites cuire les tournedos à feu vif, 2 ou 3 mn de chaque côté, selon que vous les aimez saignants ou à point. Salez à mi-cuisson.

2. Lorsque les tournedos sont cuits, retirez-les de la poêle et mettez-les dans un plat de service tenu au chaud. Jetez le gras de cuisson, mettez les échalotes dans la poêle, versez dessus le vin et grattez le fond de la poêle avec une spatule afin de la déglacer. Laissez réduire complètement le vin.

3. Lorsque le vin s'est évaporé, ajoutez la moutarde et la crème dans la poêle, salez, poivrez et laissez cuire pendant 30 secondes. Ajoutez le jus rendu par la viande, mélangez et retirez du feu.

4. Nappez les tournedos de sauce à la moutarde et servez aussitôt.

Sauté d'agneau aux asperges

★★

Pour 4 personnes. Préparation : 20 mn. Cuisson : 25 mn

- 1 kg d'épaule d'agneau désossée
- 1 botte d'asperges vertes
- 2 oignons
- 25 g de beurre
- 4 cuil. à soupe de crème fraîche épaisse
- 2 cuil. à soupe de calvados
- sel
- poivre

1. Coupez la viande en dés de 2 cm de côté. Epluchez les asperges et coupez-les en tronçons de 4 cm. Pelez les oignons et émincez-les finement.

2. Faites bouillir de l'eau dans une casserole, salez-la et plongez-y les asperges. Laissez-les cuire pendant 10 mn, puis égouttez-les et gardez-les au chaud.

3. Faites fondre le beurre dans une grande poêle et faites-y revenir les morceaux de viande pendant 5 mn, jusqu'à ce qu'ils soient bien dorés. Baissez la flamme et laissez cuire encore pendant 7 mn. Retirez-les et gardez-les dans un plat tenu au chaud. Mettez dans la poêle les oignons. Laissez-les revenir pendant 5 mn, jusqu'à ce qu'ils soient blonds. Retirez-les de la poêle et ajoutez-les aux morceaux de viande.

4. Versez le calvados dans la poêle et grattez le fond de la poêle, afin de détacher les sucs de cuisson de la viande. Ajoutez ensuite la crème, faites-la réduire de moitié, baissez la flamme et remettez les oignons et la viande dans la poêle.

5. Ajoutez les asperges dans la poêle. Salez, poivrez et laissez mijoter pendant 10 mn, en mélangeant délicatement.

6. Mettez le sauté d'agneau aux asperges dans un plat de service et dégustez bien chaud.

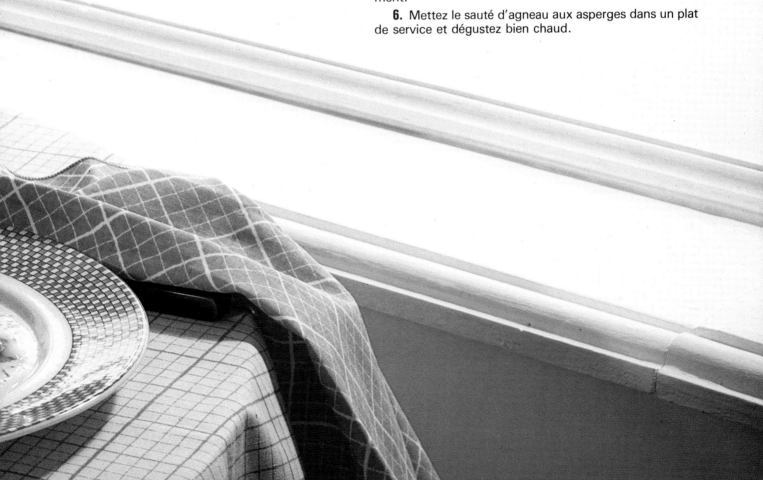

Paupiettes aux anchois

Pour 6 personnes. Préparation : 30 mn. Cuisson : 2 h

- 12 steaks de 100 g chacun, dans la bavette ou l'aiguillette
- 4 tranches de lard de poitrine fumé
- 4 échalotes
- 1/2 litre de vin rouge
- 2 cuil. à soupe de concentré de tomate
- 1 bouquet garni : 1 feuille de laurier, 1 branche de thym, 6 tiges de persil
- 2 cuil. à soupe d'huile
- 2 pincées de sucre
- sel, poivre

Pour la garniture :
- 6 filets d'anchois à l'huile
- 100 g de chapelure
- 1 œuf
- 2 cuil. à soupe de persil plat ciselé
- 1 citron non traité
- noix muscade
- poivre

1. Préparez la garniture : lavez le citron, essuyez-le et râpez la moitié de son zeste au-dessus d'une terrine. Ajoutez-y le persil, la chapelure, du poivre et de la noix muscade. Hachez les anchois au couteau et ajoutez-les dans la terrine. Cassez-y l'œuf et mélangez bien le tout.

2. Les steaks doivent être bien aplatis ; vous pouvez réaliser vous-même cette opération à l'aide d'un couteau à large lame ; ou mieux, demandez à votre boucher de les aplatir. Répartissez un peu de farce au centre de chaque steak et roulez chacun d'eux sur lui-même. Ficelez chaque paupiette aux deux bouts à l'aide d'un fil de coton blanc.

3. Otez la couenne du lard et coupez-le en fines lanières. Pelez les échalotes et hachez-les menu. Liez les éléments du bouquet garni. Délayez le concentré de tomate dans 1 dl d'eau tiède.

4. Faites chauffer l'huile dans une cocotte et faites revenir les paupiettes pendant 5 mn, à feu vif, en les retournant régulièrement, sans les laisser prendre couleur. Retirez-les de la cocotte et mettez à leur place les échalotes. Laissez-les revenir pendant 3 mn, en les remuant sans arrêt. Remettez les paupiettes dans la cocotte, versez-y doucement le vin et le concentré de tomate. Ajoutez sel, poivre, sucre et bouquet garni. Portez à ébullition, couvrez et laissez cuire pendant 1 h 45, à petits frémissements, jusqu'à ce que la viande soit tendre et la sauce sirupeuse.

5. Au bout de ce temps, retirez les paupiettes de la cocotte et ôtez-en les ficelles. Eliminez le bouquet garni et rectifiez l'assaisonnement de la sauce.

6. Rangez les paupiettes dans un plat de service, nappez-les de sauce et servez-les toutes chaudes.

☐ Accompagnez ces paupiettes de tagliatelle fraîches assaisonnées de beurre et de fromage : gruyère ou parmesan râpé.

Daube au céleri

Pour 6 personnes. Préparation : 20 mn. Cuisson : 4 h

- 1,5 kg de bœuf : tranche, paleron ou macreuse
- 1 bouteille de vin blanc sec
- 1 céleri en branche
- 2 oignons
- 2 fines tranches de lard de poitrine fumé
- 1 bouquet garni : 1 feuille de laurier, 1 branche de thym, 6 tiges de persil
- 2 cuil. à soupe de farine
- 2 cuil. à soupe d'huile
- 1 cuil. à café de poivre vert au naturel, égoutté
- sel, poivre

1. Coupez le bœuf en cubes de 4 cm de côté. Otez la couenne du lard et coupez-le en fines lanières. Otez les tiges extérieures du céleri et les feuilles vertes et coupez le reste en tronçons de 2 cm de large. Pelez l'oignon et émincez-le très finement. Liez les éléments du bouquet garni.

2. Faites chauffer l'huile dans une cocotte et faites-y revenir les morceaux de viande, pendant 5 mn, à feu modéré, jusqu'à ce qu'ils soient dorés de tous côtés. Retirez-les et faites revenir à leur place oignons et lard, en les retournant sans arrêt, jusqu'à ce qu'ils soient blonds. Remettez les morceaux de viande, poudrez de farine, remuez jusqu'à ce que la farine soit blonde.

3. Versez lentement le vin dans la cocotte, sans cesser de remuer, portez à ébullition, ajoutez le bouquet garni, couvrez et laissez mijoter pendant 2 heures.

4. Au bout de 2 heures de cuisson, ajoutez dans la cocotte le céleri, le poivre vert et du sel. Laissez mijoter pendant encore 2 heures.

5. Lorsque la daube est cuite, retirez le bouquet garni de la cocotte. Rectifiez l'assaisonnement, poivrez légèrement et mettez la daube dans un plat de service. Dégustez très chaud.

☐ Accompagnez cette daube au céleri de pommes de terre à l'anglaise.

Filet de porc tourangeau

Pour 6 personnes. Préparation : 10 mn. Cuisson : 2 h

- 1,2 kg de pointe de porc fraîche désossée
- 24 pruneaux dénoyautés
- 2,5 dl de vin blanc sec
- 150 g de crème fraîche épaisse
- 1 cuil. à soupe d'huile
- 25 g de beurre
- sel, poivre

1. Coupez la viande en cubes de 4 cm de côté. Passez les pruneaux sous l'eau courante et égouttez-les.

2. Faites chauffer l'huile dans une cocotte, ajoutez-y le beurre et, dès qu'il est fondu, faites-y revenir les morceaux de porc, jusqu'à ce qu'ils soient dorés de tous côtés. Versez ensuite le vin dans la cocotte, ajoutez les pruneaux, salez, poivrez, portez à ébullition, couvrez et laissez cuire à petits frémissements pendant 1 h 30.

3. Au bout de ce temps, retirez la viande et les pruneaux de la cocotte et gardez-les au chaud. Versez la crème dans la cocotte et faites réduire la sauce à feu vif, jusqu'à ce qu'elle nappe une cuillère. Rectifiez l'assaisonnement.

4. Nappez la viande et les pruneaux de sauce et servez tout chaud.

★★ Porc au lait

Pour 6 personnes. Préparation : 5 mn. Cuisson : 2 h

- 1,5 kg de carré de porc, désossé et ficelé
- 1 litre de lait frais entier
- 4 gousses d'ail
- 4 tiges de persil
- 2 branches de thym
- 1 feuille de laurier
- 25 g de beurre
- noix muscade
- sel
- poivre

1. Pelez 2 gousses d'ail et coupez-les en fins éclats. A l'aide d'un petit couteau, faites des entailles sur toute la surface du carré de porc et glissez-y les éclats d'ail. Salez et poivrez le carré.

2. Faites fondre le beurre dans une cocotte ovale, juste assez grande pour contenir le carré de porc. Faites revenir ce dernier dans le beurre pendant 10 mn, jusqu'à ce qu'il soit doré de tous côtés. Retirez-le ensuite de la cocotte et jetez le gras de cuisson. Essuyez la cocotte avec du papier absorbant.

3. Ecrasez les 2 autres gousses d'ail d'un coup sec du plat de la main, sans les peler. Remettez le carré dans la cocotte, entourez-le des gousses d'ail, des tiges de persil, du thym et du laurier. Versez le lait : il doit juste recouvrir le carré. Ajoutez une pincée de sel, beaucoup de poivre et de noix muscade.

4. Posez la cocotte sur feu doux, portez à ébullition et laissez cuire à petits frémissements pendant 2 heures, en retournant le carré quatre fois pendant la cuisson.

5. Lorsque le porc est cuit, retirez-le de la cocotte et découpez-le en tranches de 1 cm d'épaisseur. Rangez-les sur un plat de service tenu au chaud. Eliminez thym, laurier et persil de la cocotte et versez la sauce dans le bol d'un mixer. Faites tourner l'appareil jusqu'à ce que vous obteniez une sauce lisse.

6. Versez un peu de sauce sur les tranches de viande et mettez le reste dans une saucière. Servez aussitôt.

★★ Palette au four

Pour 6 pers. Prép. : 15 mn. Marinade : 12 h. Cuiss. : 2 h

- 1 palette de porc désossée et ficelée
- 2,5 dl de vin rouge
- 2 carottes
- 2 oignons
- 4 côtes tendres de céleri
- 10 baies de genièvre
- 2 feuilles de laurier
- 2 branches de thym
- 6 tiges de persil
- 2 cuil. à soupe d'huile
- sel, poivre

1. Pelez les oignons et les carottes. Lavez-les avec les côtes de céleri. Coupez les carottes en fines rondelles, les côtes de céleri en tranches de 1/2 cm d'épaisseur et les oignons en rondelles de 1/2 cm d'épaisseur, en défaisant les anneaux.

2. Posez la palette dans une terrine, arrosez-la de vin, entourez-la de carottes, d'oignons, de céleri, de baies de genièvre, de feuilles de laurier, de thym et de persil. Retournez la palette dans sa marinade puis mettez-la au réfrigérateur et laissez-la mariner pendant 12 heures en la retournant plusieurs fois.

3. Au bout de 12 heures de marinade, retirez la palette du réfrigérateur et allumez le four, thermostat 7 (230°). Retirez la palette de la marinade et essorez-la dans du papier absorbant. Huilez-la, posez-la dans un plat allant au four, salez-la et poivrez-la. Entourez-la de carottes, de céleri et d'oignons. Glissez le plat au four.

4. Passez la marinade dans une passoire et réservez-la. Au bout de 10 mn de cuisson de la palette, arrosez-la régulièrement de la marinade et laissez cuire pendant 2 heures, en retournant deux fois la palette pendant la cuisson.

5. Lorsque la palette est cuite, retirez-la du four et posez-la sur un plat de service. Entourez-la des légumes et gardez-la au chaud. Versez 4 cuillerées à soupe d'eau dans le plat de cuisson de la palette et posez-le sur feu vif. Détachez les sucs de la cuisson de la viande en raclant le fond du plat avec une spatule et faites réduire la sauce sur feu vif. Versez la sauce en saucière.

6. Servez la palette toute chaude avec sa sauce à part, en saucière.

☐ Accompagnez cette palette d'un gratin dauphinois ou de pommes de terre sautées.

Epaule d'agneau aux haricots blancs

Pour 8 personnes. Préparation : 10 mn. Trempage : 8 h. Cuisson : 1 h 45

- 1 épaule de 2 kg, désossée et ficelée
- 200 g de haricots blancs secs
- 3 oignons
- 3 tomates mûres
- 3 gousses d'ail
- 1 bouquet garni : 1 feuille de laurier, 1 branche de thym, 6 tiges de persil
- 2 clous de girofle
- 3 cuil. à soupe d'huile
- 25 g de beurre
- sel, poivre

1. 8 heures avant de préparer l'épaule, mettez les haricots dans une marmite et couvrez-les d'eau froide.

2. Au bout de ce temps, égouttez les haricots et éliminez l'eau de trempage. Remettez-les dans la marmite. Pelez 1 oignon et piquez-le des clous de girofle ; ajoutez-le dans la marmite avec le bouquet garni et couvrez largement d'eau froide. Portez à ébullition et laissez cuire à feu doux pendant 1 heure.

3. Pendant ce temps, pelez 1 gousse d'ail et 2 oignons et hachez-les finement. Plongez les tomates 10 secondes dans de l'eau bouillante, égouttez-les, passez-les sous l'eau courante, pelez-les, coupez-les en deux, pressez-les pour en éliminer les graines et hachez grossièrement la pulpe.

4. Faites chauffer 1 cuillerée à soupe d'huile dans une cocotte et faites-y revenir les oignons et l'ail pendant 10 mn, à feu doux, jusqu'à ce qu'ils soient blonds. Ajoutez les tomates, salez et laissez cuire à feu doux pendant 15 mn.

5. Lorsque les haricots ont cuit 1 heure, égouttez-les, ôtez l'oignon et le bouquet garni. Mettez les haricots dans la cocotte et laissez-les cuire pendant encore 45 mn.

6. Allumez le four, thermostat 8 (250°). Pelez 2 gousses d'ail et coupez-les en fins éclats. Badigeonnez un plat à four avec 1 cuillerée à soupe d'huile. Faites des entailles sur toute la surface de l'épaule et garnissez-les des éclats d'ail. Badigeonnez avec la dernière cuillère d'huile. Glissez le plat au four et laissez cuire pendant 20 mn. Baissez ensuite le thermostat à 7 (230°) et laissez cuire l'épaule pendant encore 25 mn, en la retournant de temps en temps.

7. Lorsque haricots et épaule sont cuits, laissez reposer l'épaule 5 mn dans le four éteint, porte entrouverte. Etalez les haricots dans un plat de service. Posez ensuite l'épaule au milieu des haricots.

8. Versez le jus de cuisson de l'épaule dans une saucière, en éliminant le gras. Ajoutez le beurre et mélangez. Servez aussitôt, avec la sauce en saucière.

Gigot aux baies de genièvre

Pour 6-8 personnes. Préparation : 5 mn. Cuisson : 45 mn. Repos : 15 mn

- *1 gigot d'agneau de 2 kg, raccourci et paré*
- *1 cuil. à café de baies de genièvre*
- *2 branches de romarin*
- *1 branche de thym*
- *4 gousses d'ail*
- *25 g de beurre*
- *1,5 cuil. à soupe d'huile d'olive*
- *sel, poivre*

1. Allumez le four, thermostat 8 (250°). Pelez les gousses d'ail et coupez-les en trois ou quatre lamelles. Emiettez le thym et le romarin au-dessus d'un bol ; ajoutez-y le genièvre, sel, poivre et mélangez.

2. Faites des entailles sur toute la surface du gigot et mettez-y les lamelles d'ail. Huilez le gigot avec 1 cuillerée à soupe d'huile et répartissez à sa surface le contenu du bol. Huilez un plat à four, pouvant tout juste contenir le gigot, avec le reste de l'huile et posez-y le gigot, côté charnu et arrondi contre le fond du plat.

3. Glissez le plat au four et laissez cuire pendant 20 mn.

4. Au bout de ce temps, retournez le gigot et arrosez-le du jus de cuisson. Baissez le thermostat à 7 (230°) et laissez cuire le gigot pendant encore 25 mn, en l'arrosant de temps en temps avec le jus qui s'écoule au fond du plat. Eteignez le four.

5. Lorsque le gigot est cuit, retirez-le du plat et retournez une assiette à l'intérieur du plat. Posez le gigot sur cette assiette et remettez le tout au four, porte entrouverte, pendant 15 mn, afin que le gigot soit uniformément rosé.

6. Au moment de servir, retirez le gigot du four et posez-le sur un plat de service ou sur une planche. Dégraissez le jus de cuisson, ajoutez-y le beurre et mélangez en grattant les sucs de cuisson de la viande à l'aide d'une spatule.

7. Servez le gigot tout chaud, avec sa sauce à part dans une saucière.

☐ Servez ce gigot avec des pommes sautées, un gratin dauphinois, des haricots verts ou des flageolets.

Rognons au madère

Pour 4 personnes. Préparation et cuisson : 30 mn

- 2 rognons de veau
- 250 g de petits champignons de Paris
- 2 échalotes
- 4 cuil. à soupe de madère
- 1 cuil. à soupe de persil plat ciselé
- 2 cuil. à café de moutarde de Dijon
- 100 g de crème fraîche épaisse
- 50 g de beurre
- sel, poivre

1. Demandez à votre boucher de préparer les rognons en les coupant en deux puis en dés et de retirer la peau et le gras. Otez la partie terreuse du pied des champignons, lavez-les rapidement sous l'eau courante et essorez-les.

2. Faites fondre le beurre dans une poêle et faites-y revenir les rognons pendant 6 mn, en les retournant avec une spatule, jusqu'à ce qu'ils soient bien dorés. Retirez-les de la poêle et faites revenir les champignons, jusqu'à ce qu'ils soient dorés et qu'il n'y ait plus de liquide dans la poêle. Remettez les rognons dans la poêle, versez le madère et enflammez-le. Dès que la flamme s'éteint, retirez à l'aide d'une écumoire les rognons et les champignons et gardez-les au chaud.

3. Versez la crème et la moutarde dans la poêle et laissez cuire en remuant avec une spatule jusqu'à ce que vous obteniez une sauce sirupeuse. Salez, poivrez, remettez les rognons et les champignons dans la poêle, mélangez pendant 30 secondes puis versez le tout dans un plat de service. Parsemez de persil et servez aussitôt.

☐ Accompagnez ces rognons de pâtes fraîches assaisonnées de beurre et de parmesan ou d'une purée de pommes de terre.

Bœuf aux légumes d'hiver

Pour 6 personnes. Préparation : 30 mn. Cuisson : 4 h

- 1,5 kg de bœuf ficelé : aiguillette ou paleron
- 150 g de couenne de porc fraîche
- 500 g de carottes
- 500 g de poireaux
- 1 gros oignon
- 1 branche de thym
- 2 feuilles de laurier
- 2 cuil. à soupe de cognac
- 4 cuil. à soupe d'huile
- 50 g de beurre
- sel, poivre

1. Pelez les carottes, lavez-les et égouttez-les. Coupez-les en rondelles de 1/2 cm d'épaisseur. Otez la première feuille des poireaux et la partie vert sombre. Lavez les poireaux, essorez-les et coupez-les en tronçons de 1 cm d'épaisseur. Pelez l'oignon et hachez-le grossièrement.

2. Faites chauffer 3 cuillerées à soupe d'huile dans une cocotte ovale pouvant tout juste contenir la viande et ses légumes, cocotte en fonte allant au four de préférence. Lorsque l'huile est chaude, faites-y revenir la viande, pendant 5 mn environ, en la retournant régulièrement, jusqu'à ce qu'elle soit dorée sur toutes ses faces. Retirez-la ensuite de la cocotte, jetez l'huile de cuisson, remettez la viande dans la cocotte, arrosez-la de cognac et flambez. Lorsque la flamme s'est éteinte, retirez la viande de la cocotte, posez-la sur un plat et salez-la.

3. Coupez la couenne en lanières et tapissez-en la cocotte. Posez la viande sur les lanières de couenne.

4. Allumez le four, thermostat 4 (140°). Faites chauffer le reste de l'huile dans une sauteuse et ajoutez le beurre. Dès qu'il est fondu, ajoutez les carottes, les poireaux et l'oignon et faites revenir le tout à feu doux pendant 5 mn, sans laisser prendre couleur. Salez, poivrez puis ajoutez les légumes dans la cocotte autour de la viande. Ajoutez thym et laurier. Couvrez en interposant un papier sulfurisé huilé entre la cocotte et son couvercle.

5. Glissez la cocotte au four et laissez cuire pendant 4 heures.

6. Au bout de ce temps, retirez la cocotte du four et posez la viande sur un plat de cuisson. Entourez-la de ses légumes et des lanières de couenne, si vous les aimez. Servez tout chaud.

Sauté de veau au vermouth

Pour 4 personnes. Préparation et cuisson : 15 mn

- *750 g de filet de veau découpé en tranches fines*
- *150 g de crème fraîche épaisse*
- *6 cuil. à soupe de vermouth blanc sec*
- *1 orange non traitée*
- *4 cuil. à soupe de farine*
- *25 g de beurre*
- *sel, poivre*

1. Mettez la farine dans une assiette creuse et passez-y les tranches de viande. Secouez-les pour en éliminer l'excédent. Réservez-les sur une assiette plate, sans les laisser se chevaucher. Lavez l'orange et essuyez-la. Râpez-en le zeste sur une râpe à épices au-dessus d'un bol et réservez-le. Pelez l'orange à vif et coupez-la en rondelles. Versez le jus qui s'est écoulé durant cette opération dans le bol contenant le zeste.

2. Faites fondre le beurre dans une grande poêle et faites-y revenir les tranches à feu moyen pendant 5 mn, en les retournant à mi-cuisson. Retirez-les ensuite de la poêle et gardez-les dans une assiette.

3. Versez le vermouth dans la poêle, portez à ébullition, ajoutez le zeste et le jus d'orange, la crème fraîche, salez, poivrez, mélangez avec une spatule et laissez bouillir la sauce pendant 2 mn environ, jusqu'à ce qu'elle réduise de moitié.

4. Remettez les tranches de filet dans la poêle et faites-les réchauffer dans la sauce pendant 30 secondes, en les retournant sans arrêt.

5. Rangez les tranches de veau dans un plat de service, nappez-les de sauce et décorez-les de tranches d'orange. Servez très chaud.

☐ Accompagnez ce sauté très parfumé de purées de légumes : épinards, chou-fleur ou pommes de terre.

★★

Veau marengo

Pour 6 personnes. Préparation : 20 mn. Cuisson : 2 h

- 1,2 kg de veau : tendron, épaule et haut-de-côte mélangés
- 2 oignons moyens
- 1 carotte
- 2 gousses d'ail
- 2 dl de vin blanc sec
- 500 g de tomates mûres
- 2,5 dl de bouillon de volaille
- 1 cuil. à soupe de farine
- 1 bouquet garni : 1 feuille de laurier, 1 branche de thym, 4 tiges de persil
- 24 oignons grelots
- 250 g de petits champignons de Paris
- 1 cuil. à soupe de persil plat ciselé
- 1 citron non traité
- 1 cuil. à soupe d'huile
- 75 g de sucre
- sel, poivre

1. Pelez les oignons et hachez-les menu. Pelez la carotte, essuyez-la et hachez-la très finement au couteau. Pelez les gousses d'ail. Liez les éléments du bouquet garni. Lavez les tomates, essuyez-les et passez-les à la moulinette, grille moyenne. Coupez la viande en dés de 4 cm de côté.

2. Faites chauffer l'huile dans une cocotte, ajoutez-y 40 g de beurre et, dès qu'il est fondu, faites-y revenir la viande pendant 5 mn, en la remuant avec une spatule, jusqu'à ce qu'elle soit dorée. Retirez-la de la cocotte et mettez à sa place le hachis d'oignons et de carottes. Faites-le revenir pendant 3 mn, en le remuant sans arrêt. Remettez la viande dans la cocotte, poudrez de farine et mélangez pendant 1 mn, en remuant, jusqu'à ce que la farine soit blonde. Versez alors le vin blanc et laissez-le réduire de moitié à feu vif.

3. Lorsque le vin blanc est réduit de moitié, ajoutez dans la cocotte les gousses d'ail, la purée de tomates, le bouquet garni et le bouillon. Si le liquide n'arrive pas à hauteur de la viande, complétez avec de l'eau. Salez légèrement, poivrez et laissez mijoter pendant 1 heure.

4. 15 mn avant la fin de la première heure de cuisson, pelez les oignons grelots. Coupez la partie terreuse du pied des champignons, passez ces derniers sous l'eau courante, essuyez-les. Faites fondre le reste de beurre dans deux poêles et faites-y revenir d'une part les champignons et, d'autre part, les oignons, jusqu'à ce qu'ils soient blonds. Ajoutez-les dans la casserole et laissez cuire pendant encore 45 mn, à feu doux.

5. Au bout de ce temps, lavez le citron et essuyez-le. Râpez la moitié de son zeste au-dessus de la cocotte puis coupez le citron et pressez-en une moitié. Versez le jus obtenu dans la cocotte. Mélangez et laissez frémir pendant encore 5 mn.

6. Mettez le veau marengo dans un plat de service, parsemez-le de persil ciselé et servez aussitôt.

Poulet aux poivrons et aux tomates ★★

Pour 6 personnes. Préparation : 20 mn. Cuisson : 1 h 15

- *1 poulet de 1,5 kg, coupé en 8 morceaux*
- *2 poivrons verts*
- *2 poivrons rouges*
- *500 g de tomates mûres*
- *2 oignons moyens*
- *2 gousses d'ail*
- *3 tranches fines de lard de poitrine fumé*
- *2 pincées de sucre*
- *4 cuil. à soupe d'huile d'olive*
- *sel*
- *poivre*

1. Lavez les poivrons, essuyez-les, coupez-les en quatre, ôtez-en les graines et les pédoncules. Coupez chaque quart de poivron en lanières de 2 cm de large. Plongez les tomates 10 secondes dans de l'eau bouillante, égouttez-les, passez-les sous l'eau courante, pelez-les, coupez-les en deux et pressez-les pour en éliminer les graines ; hachez grossièrement la pulpe. Pelez les oignons et émincez-les. Pelez les gousses d'ail et hachez-les finement. Otez la couenne du lard et hachez-le grossièrement au couteau.

2. Faites chauffer l'huile dans une cocotte et faites-y revenir les morceaux de poulet jusqu'à ce qu'ils soient dorés de tous côtés. Retirez-les ensuite de la cocotte.

3. Mettez dans la cocotte le lard, l'oignon, l'ail et les poivrons. Faites-les revenir à feu doux pendant 10 mn, jusqu'à ce qu'ils soient tendres mais non dorés. Ajoutez alors le sucre et remuez pendant 2 mn. Ajoutez enfin les tomates, mélangez, salez et poivrez.

4. Remettez les morceaux de poulet dans la cocotte, retournez-les dans les légumes, couvrez et laissez cuire à feu doux pendant 45 mn, en remuant de temps en temps.

5. Au bout de ce temps, retirez les morceaux de la cocotte et rangez-les dans un plat de service. Faites réduire la sauce de cuisson à feu vif pendant quelques minutes, jusqu'à ce qu'elle soit très épaisse. Rectifiez l'assaisonnement.

6. Nappez les morceaux de poulet de sauce aux poivrons et aux tomates et servez bien chaud.

Poulet à l'estragon ★★

Pour 4 personnes. Préparation et cuisson : 1 h 15

- *1 poulet de 1,2 kg, prêt à cuire*
- *1 cuil. à soupe d'estragon ciselé*
- *1 cuil. à café de cerfeuil ciselé*
- *1 dl de vin blanc sec*
- *1 dl de bouillon de volaille*
- *25 g de beurre*
- *1 cuil. à soupe d'huile*
- *sel, poivre*

1. Faites chauffer l'huile dans une cocotte ovale, ajoutez-y une noix de beurre prélevée sur la quantité indiquée. Lorsque le beurre est fondu, faites-y revenir le poulet à feu modéré, jusqu'à ce qu'il soit doré de tous côtés.

2. Lorsque le poulet est doré, retirez-le de la cocotte et éliminez le gras de cuisson. Remettez le poulet dans la cocotte, ajoutez 4 cuillerées à soupe d'eau, salez, poivrez, couvrez et laissez cuire pendant 1 heure. Ajoutez un peu d'eau dans la cocotte si celle-ci s'évaporait trop vite.

3. Au bout de 1 heure de cuisson, retirez le poulet de la cocotte et posez-le sur un plat de service. Gardez-le au chaud. Versez le vin dans la cocotte et faites-le réduire de moitié à feu vif, en grattant le fond de la cocotte avec une spatule afin de déglacer les sucs de cuisson du poulet. Versez ensuite le bouillon de volaille dans la cocotte, portez à ébullition et retirez du feu.

4. Hors du feu, ajoutez dans la cocotte le beurre, l'estragon et le cerfeuil. Mélangez jusqu'à ce que le beurre soit fondu et arrosez le poulet d'un peu de sauce. Versez le reste de la sauce en saucière.

5. Servez le poulet tout chaud avec sa sauce à part.

☐ Vous pouvez accompagner ce poulet avec des pâtes fraîches assaisonnées de beurre et de fromage râpé.

Blancs de poulet au foie gras

Pour 4 personnes. Préparation et cuisson : 30 mn

- *4 blancs de poulet, sans peau*
- *150 g de pâté de foie gras*
- *1,5 dl de vin rouge*
- *150 g de crème fraîche épaisse*
- *250 g de petits champignons de Paris*
- *50 g de beurre*
- *noix muscade*
- *sel, poivre*

1. Otez la partie terreuse du pied des champignons, passez ces derniers sous l'eau courante, essorez-les et coupez-les en deux. Faites fondre la moitié du beurre dans une poêle et faites-y revenir les champignons à feu doux, jusqu'à ce qu'ils soient dorés et qu'il n'y ait plus de liquide dans la poêle. Salez-les et gardez-les au chaud.

2. Mettez le pâté de foie gras et la crème dans le bol d'un mixer et réduisez le tout en une crème fine.

3. Faites fondre le reste de beurre dans une autre poêle et faites-y cuire les blancs de poulet à feu modéré pendant 12 mn, en les retournant à mi-cuisson.

4. Lorsque les blancs de poulet sont cuits, retirez-les de la poêle et gardez-les au chaud. Versez le vin dans la poêle et faites-le réduire de moitié, à feu vif, en grattant le fond de la poêle avec une spatule afin de déglacer les sucs de cuisson du poulet. Versez le contenu du bol du mixer dans la poêle, ajoutez 6 pincées de noix muscade râpée, du sel et du poivre. Mélangez à feu doux, jusqu'à ce que vous obteniez une sauce onctueuse.

5. Mettez les blancs de poulet dans un plat de service, nappez-les de sauce et entourez-les de champignons. Servez très chaud.

☐ Servez ces blancs de poulet avec des pâtes fraîches assaisonnées d'une noix de beurre et d'un peu de crème fraîche. Les pâtes seront ensuite mélangées à la sauce au pâté de foie gras.

☐ Utilisez pour cette recette un reste de foie gras ou encore du pâté de foie gras en boîte.

★★ Lapin à la moutarde

Pour 6 personnes. Préparation : 10 mn. Cuisson : 50 mn

- *1 lapin de 1,5 kg, coupé en 6 morceaux*
- *3 cuil. à soupe de moutarde forte*
- *4 cuil. à soupe de vin blanc sec*
- *2 cuil. à soupe d'huile*
- *200 g de crème fraîche épaisse*
- *1 cuil. à soupe d'estragon ciselé*
- *noix muscade*
- *sel*
- *poivre*

1. Allumez le four, thermostat 7 (230°). Badigeonnez un plat allant au four, pouvant contenir les morceaux de lapin sans qu'ils se chevauchent, avec une cuillerée à soupe d'huile.

2. Mettez la moutarde dans une assiette creuse, ajoutez-y le reste de l'huile, sel, poivre et noix muscade. Battez bien le tout à l'aide d'une fourchette. Passez les morceaux de lapin l'un après l'autre dans la préparation et rangez-le dans le plat à four.

3. Glissez le plat au four et laissez cuire pendant 40 mn. Arrosez les morceaux de lapin de 3 cuillerées à soupe d'eau toutes les 10 mn et retournez-les régulièrement dans leur sauce.

4. Lorsque le lapin est cuit, retirez le plat du four. Posez les morceaux de lapin sur le plat de service et gardez-le au chaud.

5. Posez le plat de cuisson du lapin sur feu vif, ajoutez-y le vin et laissez-le s'évaporer en grattant le fond du plat avec une spatule afin de déglacer les sucs de cuisson du lapin. Ajoutez alors la crème fraîche et faites-la réduire d'un tiers. Retirez du feu, ajoutez l'estragon et mélangez.

6. Nappez les morceaux de lapin de sauce et servez bien chaud.

☐ Accompagnez ce lapin à la moutarde de pâtes fraîches assaisonnées d'une noix de beurre, que vous mélangerez à la sauce à la moutarde, ou de pommes de terre cuites à la vapeur.

★★ Poulet au fromage

Pour 6 personnes. Préparation : 25 mn. Cuisson : 1 h 10

- *1 poulet de 1,5 kg, coupé en 10 morceaux*
- *1,5 litre de vin blanc sec*
- *200 g de fromage : comté et emmental mélangés*
- *2 jaunes d'œufs*
- *250 g de crème fraîche épaisse*
- *50 g de farine*
- *50 g de beurre*
- *1 cuil. à soupe d'huile*
- *sel, poivre*
- *noix muscade*

1. Allumez le four, thermostat 7 (230°). Mettez 25 g de farine dans une assiette creuse, salez et poivrez. Passez les morceaux de poulet dans la farine et secouez-les pour en éliminer l'excédent.

2. Faites chauffer l'huile dans une sauteuse, ajoutez la moitié du beurre et, lorsqu'il est fondu, faites revenir les morceaux de poulet pendant 10 mn environ jusqu'à ce qu'ils soient dorés sur toutes leurs faces. Retirez les morceaux de poulet avec une écumoire, égouttez-les sur du papier absorbant puis rangez-les dans un plat allant au four pouvant tout juste les contenir.

3. Jetez le gras contenu dans la sauteuse, versez-y le vin et 1/4 de litre d'eau. Déglacez en raclant le fond de la sauteuse avec une spatule. Versez ce liquide chaud sur le poulet et glissez le plat au four. Laissez cuire pendant 40 mn.

4. Au bout de ce temps, retirez le plat sans éteindre le four et recueillez le jus de cuisson dans un bol.

5. Faites fondre le reste du beurre dans une casserole, poudrez-le de farine et mélangez pendant 1 mn. Versez alors le jus de cuisson du poulet, ajoutez du sel, du poivre et un peu de noix muscade et laissez frémir pendant 5 mn, jusqu'à ce que vous obteniez une sauce onctueuse.

6. Battez les jaunes d'œufs et la crème dans un bol. Versez ce mélange dans la casserole. Râpez les fromages dans une râpe cylindrique munie de sa grille à gros trous et ajoutez-en la moitié dans la casserole. Mélangez sur feu très doux jusqu'a ce que le fromage soit fondu.

7. Versez la moitié de la sauce sur le poulet, poudrez avec le reste du fromage puis nappez avec le restant de sauce. Remettez le plat au four et laissez cuire pendant encore 10 mn, jusqu'à ce que la surface du plat soit dorée.

8. Servez le poulet au fromage tout chaud dans son plat de cuisson.

Perdreaux aux raisins

Pour 4 personnes. Préparation et cuisson : 30 mn

- *4 petits perdreaux, prêts à cuire*
- *500 g de raisin blanc*
- *2 échalotes*
- *2,5 dl de vin blanc sec*
- *1 cuil. à café de Maïzena*
- *1 cuil. à soupe de cognac*
- *2 cuil. à soupe d'huile*
- *sel, poivre*

1. Pelez les échalotes et hachez-les menu. Salez et poivrez les perdreaux à l'intérieur et à l'extérieur. Mettez les foies à l'intérieur.

2. Faites chauffer l'huile dans une cocotte et faites-y revenir les perdreaux sur toutes leurs faces jusqu'à ce qu'ils soient bien dorés. Retirez-les et mettez à leur place les échalotes. Faites-les revenir jusqu'à ce qu'elles soient blondes, en grattant le fond de la cocotte avec une spatule afin de détacher les sucs de cuisson des perdreaux.

3. Remettez les perdreaux dans la cocotte, versez-y le cognac, flambez et, lorsque la flamme s'est éteinte, versez le vin, salez, poivrez et laissez cuire pendant 20 mn, à feu doux et à couvert, en retournant les perdreaux plusieurs fois pendant la cuisson.

4. Pendant ce temps, pelez les raisins et ôtez-en les pépins. Délayez la Maïzena dans 1 dl d'eau.

5. Lorsque les perdreaux sont cuits, retirez-les de la cocotte et mettez-les dans un plat de service. Gardez-les au chaud. Passez le jus de cuisson dans une passoire au-dessus d'une casserole.

6. Posez la casserole contenant le jus de cuisson des perdreaux sur feu vif, portez à ébullition, ajoutez la Maïzena délayée, mélangez pendant quelques minutes en laissant bouillir, jusqu'à ce que vous obteniez une sauce onctueuse. Rectifiez l'assaisonnement.

7. Nappez les perdreaux de sauce et de raisins et dégustez-les tout chauds.

Canard aux cerises

Pour 4 personnes. Préparation et cuisson : 1 h 15

- *1 canard de 1,5 kg prêt à cuire*
- *500 g de cerises de Montmorency*
- *1,5 dl de vin blanc sec*
- *5 cl de cherry brandy*
- *1 cuil. à café de sucre*
- *1 cuil. à café de Maïzena*
- *1 cuil. à soupe d'huile*
- *sel, poivre*

1. Allumez le four, thermostat 7 (230°). Huilez un plat à four. Salez et poivrez le canard à l'intérieur et à l'extérieur et posez-le dans le plat.

2. Lorsque le four est chaud, glissez le plat dedans et laissez cuire le canard pendant 1 heure, en l'arrosant régulièrement avec le jus qui s'écoule au fond du plat. Ajoutez quelques cuillerées d'eau au fond du plat si le jus s'évapore trop vite.

3. Pendant la cuisson du canard, lavez les cerises et égouttez-les. Dénoyautez-les et réservez le jus qui s'écoule pendant cette opération.

4. Lorsque le canard est cuit, faites couler dans le plat de cuisson le jus qui reste à l'intérieur de la volaille. Posez le canard sur un plat de service et gardez-le au chaud, dans le four éteint par exemple.

5. Dégraissez le jus contenu dans le plat de cuisson, ajoutez-y le vin blanc et posez le plat sur feu vif. Laissez réduire le jus de moitié en grattant le fond du plat avec une spatule pour détacher les sucs de cuisson du canard. Versez le jus réduit dans une casserole.

6. Ajoutez dans cette casserole les cerises et leur jus. Portez à ébullition et laissez frémir pendant 5 mn, jusqu'à ce que les cerises soient très tendres.

7. Délayez la Maïzena dans le cherry brandy et versez ce mélange dans la casserole. Laissez bouillir pendant 1 mn environ, en remuant, jusqu'à ce que vous obteniez une sauce onctueuse.

8. Versez une partie de la sauce sur le canard et le reste en saucière. Servez sans attendre.

Accompagnements indispensables de nos plats principaux, les légumes sont chez nous nombreux et très variés. Vous trouverez là des recettes de fèves, légume un peu trop méprisé sauf dans le Midi, d'épinards salés-sucrés, de courgettes préparées de manière originale…

Les recettes sont plutôt simples à réaliser et vous permettront des préparations différentes, loin de la traditionnelle purée de pommes de terre.

Fèves au jambon ★

Pour 4-5 personnes. Préparation : 30 mn. Cuisson : 30 mn

- 1,5 kg de fèves fraîches
- 1 tranche de jambon cru de 150 g
- 2 échalotes
- 1 gousse d'ail
- 2 jaunes d'œufs
- 1 cuil. à café de jus de citron
- 25 g de saindoux ou de beurre
- sel
- poivre

1. Pelez les échalotes et hachez-les menu. Coupez le jambon, gras et maigre, en petits dés. Ecossez les fèves et ôtez le petit chapeau qui se trouve à une extrémité de chaque fève. Pelez la gousse d'ail et hachez-la menu.

2. Faites fondre le saindoux ou le beurre dans une cocotte et faites blondir les échalotes et le jambon, à feu doux, pendant 5 mn, en remuant avec une spatule. Ajoutez l'ail haché, mélangez pendant 1 mn puis ajoutez les fèves et remuez pendant encore 1 mn.

3. Versez 1 dl d'eau dans la cocotte, ajoutez un peu de sel, du poivre, mélangez, couvrez et laissez cuire à feu doux pendant 25 mn.

4. Pendant ce temps, battez les jaunes d'œufs dans un bol, à l'aide d'une fourchette, en y incorporant le jus de citron.

5. Au bout de 25 mn de cuisson des fèves, versez les jaunes d'œufs au citron dans la cocotte, mélangez et retirez aussitôt du feu. Continuez à mélanger pour lier le jus de cuisson des fèves et le rendre onctueux.

6. Mettez les fèves et leur sauce dans un plat de service et dégustez bien chaud.

★★

Artichauts farcis aux champignons

Pour 4 personnes. Préparation et cuisson : 1 h

- *4 jeunes artichauts*
- *1 oignon*
- *2 carottes*
- *3 dl de vin blanc sec*
- *4 cuil. à soupe
  de jus de citron*
- *25 g de beurre*
- *sel, poivre*

Pour la farce :

- *100 g de petits
  champignons de Paris*
- *50 g de parmesan râpé*
- *50 g de chapelure blanche*
- *2 cuil. à soupe de persil
  plat ciselé*
- *1 œuf*
- *1 gousse d'ail*
- *4 pincées de thym*
- *1 citron non traitré*
- *25 g de beurre*
- *sel, poivre*

1. Lavez les artichauts et éliminez les feuilles les plus dures. Raccourcissez-les en coupant la partie la plus dure des feuilles. Coupez la queue au ras du cœur. Faites bouillir de l'eau dans une casserole, ajoutez-y le jus de citron, du sel, et plongez-y les artichauts. Laissez cuire pendant 15 mn.

2. Pendant ce temps, préparez la farce : ôtez la partie terreuse du pied des champignons, passez les champignons sous l'eau courante, essorez-les et hachez-les grossièrement au couteau. Faites fondre le beurre dans une poêle et faites-y revenir les champignons jusqu'à ce qu'ils soient dorés et qu'il n'y ait plus de liquide dans la poêle.

3. Cassez l'œuf dans une terrine, ajoutez-y la chapelure, le parmesan, le persil, le thym, sel et poivre. Lavez le citron et râpez la moitié du zeste sur une râpe à épices au-dessus de la terrine. Pelez la gousse d'ail et passez-la au presse-ail au-dessus de la terrine. Ajoutez les champignons, lorsqu'ils sont cuits, et mélangez bien le tout.

4. Lorsque les artichauts ont cuit 15 mn, retirez-les de la casserole et égouttez-les dans une passoire, tête en bas.

5. Pelez l'oignon et émincez-le. Pelez les carottes, lavez-les, égouttez-les et coupez-les en fines rondelles. Faites fondre le beurre dans une cocotte pouvant contenir les artichauts côte à côte, et faites-y revenir l'oignon et les carottes à feu doux pendant quelques minutes, jusqu'à ce que l'oignon soit blond. Versez le vin, portez à ébullition et retirez du feu. Salez, poivrez.

6. Ecartez les feuilles centrales des artichauts et garnissez-les de farce aux champignons. Posez les artichauts dans la cocotte, portez à ébullition, couvrez et laissez cuire pendant 45 mn, jusqu'à ce que les artichauts soient tendres et que les feuilles se détachent facilement.

7. Rangez les artichauts sur un plat de service et gardez-les au chaud. Faites réduire le jus de cuisson jusqu'à ce qu'il soit sirupeux.

8. Nappez les artichauts de jus de cuisson, entourez-les de carotte et d'oignon et servez aussitôt.

Tomates au gratin ★★

Pour 4 personnes. Préparation et cuisson : 45 mn

- 1 kg de tomates moyennes
- 4 gros oignons
- 2 gousses d'ail
- 1 cuil. à soupe de basilic frais ciselé
- 75 g de chapelure blanche
- 3 pincées de sucre
- 5 cuil. à soupe d'huile d'olive
- sel, poivre

1. Lavez les tomates, essuyez-les et coupez-les en tranches de 1/2 cm d'épaisseur ; parsemez-les de sel et faites-les égoutter dans une passoire.

2. Pelez les oignons et coupez-les en fines rondelles dont vous détacherez les anneaux. Pelez les gousses d'ail et hachez-les menu.

3. Allumez le four, thermostat 7 (230°). Faites chauffer 2 cuillerées à soupe d'huile dans une grande poêle et faites-y revenir les anneaux d'oignons à feu doux pendant 20 mn, en remuant souvent avec une spatule, jusqu'à ce qu'ils soient blonds et très tendres. Ajoutez-y alors l'ail, sel, sucre et poivre. Mélangez pendant 2 mn et retirez du feu ; ajoutez le basilic et mélangez une dernière fois.

4. Huilez un plat allant au four avec une cuillerée à soupe d'huile d'olive. Etalez-y une couche d'oignons, une couche de tomates puis une nouvelle couche d'oignons, ceci jusqu'à épuisement des ingrédients, en terminant par une couche d'oignons. Arrosez le tout du reste d'huile d'olive.

5. Parsemez la surface du plat de chapelure et glissez-le au four. Laissez cuire pendant 25 mn, jusqu'à ce que la surface du gratin soit dorée.

6. Lorsque le gratin est cuit, retirez-le du four et servez-le tout chaud dans son plat de cuisson.

Aubergines à l'ail ★★

Pour 4 personnes. Préparation : 15 mn. Cuisson : 1 h 15

- 4 aubergines moyennes, longues
- 3 tomates mûres
- 2 cuil. à soupe de basilic frais ciselé
- 3 gousses d'ail
- 6 cuil. à soupe d'huile d'olive
- sel
- poivre

1. Allumez le four, thermostat 6 (200°). Lavez les aubergines, essuyez-les et ôtez-en le pédoncule. Taillez dans chaque aubergine, du pédoncule vers le bas, 5 entailles profondes. Huilez chaque aubergine, intérieur et extérieur, à l'aide d'un pinceau.

2. Lavez les tomates, essuyez-les et coupez-les en rondelles. Pelez les gousses d'ail, coupez-les en fins éclats et mettez-les dans un bol ; ajoutez-y sel, poivre et basilic et mélangez.

3. Mettez dans chaque entaille des aubergines des rondelles de tomate et des éclats d'ail. Enfermez chaque aubergine dans une feuille de papier d'aluminium.

4. Posez les papillotes d'aubergines sur la plaque du four et glissez-les au four. Laissez cuire pendant 1 h 15.

5. Au bout de ce temps, retirez les papillotes du four et posez-les sur un plat de service. Portez-les à table ainsi, chaque convive ouvrira sa papillote et dégustera l'aubergine toute chaude.

Pommes de terre
★★★ soufflées

Pour 4-8 personnes. Préparation et cuisson : 1 h 30

- 4 grosses pommes de terre à chair farineuse
- 1 petite pomme
- 2 œufs
- 1/2 cuil. à café de sauge sèche
- 50 g de beurre mou
- sel
- poivre

1. Lavez les pommes de terre sous l'eau courante en les grattant afin d'en éliminer toutes les impuretés.

2. Allumez le four, thermostat 4 (180°). Posez les pommes de terre sur la grille du four et faites-les cuire pendant 1 heure au centre du four.

3. Pendant ce temps, cassez les œufs en séparant les blancs des jaunes. Mettez les blancs dans un saladier et poudrez-les d'une pincée de sel. Mettez les jaunes dans une terrine, ajoutez-y du sel, du poivre et la sauge. Battez le tout à la fourchette.

4. Pelez la pomme, coupez-la en quatre, ôtez le cœur et râpez la pulpe dans une râpe cylindrique, grille moyenne, au-dessus de la terrine.

5. Lorsque les pommes de terre ont cuit 1 heure, retirez-les du four et augmentez le thermostat à 6 (220°). Coupez les pommes de terre en deux et laissez-les tiédir pendant quelques minutes puis retirez-en la pulpe en laissant 1 cm sur la peau. Posez les pommes de terre dans un plat à four.

6. Ecrasez finement à la fourchette la pulpe réservée, incorporez-y le beurre et ajoutez cette purée dans la terrine. Battez les blancs d'œufs en neige ferme et incorporez-les au contenu de la terrine en soulevant le mélange pour ne pas faire retomber les blancs.

7. Garnissez les pommes de terre de la préparation contenue dans la terrine et glissez le plat au four. Laissez cuire pendant 15 mn environ, jusqu'à ce que les pommes de terre soient gonflées et dorées.

8. Mettez les pommes de terre dans un plat de service et dégustez tout chaud.

Beignets
★★ de pommes de terre

Pour 6 personnes. Préparation et cuisson : 45 mn

- 1 kg de pommes de terre à chair farineuse
- 2 œufs
- 50 g de gruyère râpé
- 2 oignons nouveaux
- 1 cuil. à soupe de persil plat ciselé
- 1 gousse d'ail
- huile pour friture
- sel, poivre

1. Pelez la gousse d'ail et hachez-la menu. Otez la première peau des oignons, lavez-les et coupez-les en tout petits tronçons. Pelez les pommes de terre, lavez-les, séchez-les dans un linge puis râpez-les sur une râpe à gros trous.

2. Cassez les œufs dans une terrine, ajoutez-y l'ail, le persil, les oignons, le fromage, du sel et du poivre. Mélangez, puis ajoutez les pommes de terre. Formez avec la préparation des boules de la taille d'un gros œuf puis aplatissez-les entre les paumes de vos mains.

3. Faites chauffer de l'huile dans une friteuse ou dans une poêle sur une épaisseur de 5 cm au moins. Plongez-y les beignets de pommes de terre 4 par 4, et faites-les cuire pendant 10 mn, en les retournant à mi-cuisson, jusqu'à ce qu'ils soient bien dorés.

4. Retirez les beignets de la friture à l'aide d'une écumoire et égouttez-les sur du papier absorbant. Gardez-les au chaud pendant que vous faites cuire les autres beignets.

5. Mettez les beignets dans un plat de service et dégustez tout chaud.

☐ Ces beignets accompagnent tous les rôtis et les viandes grillées ou cuites à la poêle.

Beignets de chou-fleur

Pour 4 personnes. Prép. et cuiss. : 30 mn. Repos : 1 h

- 1 chou-fleur
- huile pour friture
- sel

Pour la pâte :
- 250 g de farine
- 2 dl de lait
- 2 dl de bière blonde
- 2 œufs
- 50 g de beurre
- 1/2 cuil. à café de sel
- poivre

1. Une heure avant de faire cuire les beignets, préparez la pâte à frire : faites fondre le beurre dans une petite casserole. Cassez les œufs en séparant les blancs des jaunes. Mettez les blancs dans une terrine et poudrez-les d'une pincée de sel.

2. Mettez les jaunes d'œufs dans le bol d'un mixer, ajoutez-y la farine, le lait, la bière, le beurre fondu, le reste de sel et du poivre. Faites tourner l'appareil jusqu'à ce que vous obteniez une pâte lisse. Versez-la dans un saladier en la passant à travers une passoire et laissez-la reposer pendant 1 heure au moins.

3. Séparez le chou-fleur en tout petits bouquets ; lavez-les et égouttez-les. Faites bouillir de l'eau dans une casserole, salez-la et plongez-y les bouquets de chou-fleur. Laissez-les cuire pendant 10 mn environ, jusqu'à ce qu'ils soient tendres. Egouttez-les dans une passoire.

4. Lorsque la pâte a suffisamment reposé, battez les blancs d'œufs en neige ferme et incorporez-les délicatement à la pâte.

5. Faites chauffer l'huile dans une bassine à friture. Plongez les bouquets de chou-fleur dans la pâte. Lorsque l'huile est bien chaude, plongez-y les bouquets de chou-fleur enrobés de pâte, 5 ou 6 à la fois, et laissez-les cuire pendant 3 mn environ, jusqu'à ce qu'ils soient bien dorés.

6. Au fur et à mesure de la cuisson, retirez les beignets à l'aide d'une écumoire, égouttez-les sur du papier absorbant et gardez-les au chaud.

7. Lorsque tous les beignets sont cuits, mettez-les sur un plat de service et portez-les à table sans attendre.

☐ Accompagnez ces beignets d'une sauce verte ou d'une mayonnaise relevée de sauce ketchup et de piment.

Epinards aux pignons

Pour 4 personnes. Préparation : 10 mn. Cuisson : 5 mn

- 1 kg d'épinards frais
- 50 g de pignons
- 75 g de raisins secs, sans pépins
- 3 cuil. à soupe d'huile d'olive
- sel
- poivre

1. Otez la tige des épinards et coupez les plus grandes feuilles en deux ou trois morceaux. Lavez les épinards dans plusieurs eaux, puis essorez-les.

2. Faites chauffer l'huile dans une sauteuse et faites-y revenir pignons et raisins, à feu doux, pendant 1 mn, en remuant avec une spatule, jusqu'à ce que les pignons soient blonds. Retirez-les avec une écumoire et réservez-les.

3. Mettez les épinards dans la sauteuse et faites-les revenir à feu vif pendant 4 mn, en les retournant avec la spatule, jusqu'à ce qu'ils soient tendres et qu'il n'y ait plus de liquide dans la sauteuse. Ajoutez-y pignons et raisins, salez peu, poivrez et mélangez.

4. Mettez les épinards dans un plat de service et dégustez tout chaud.

☐ Ces épinards salés-sucrés sont excellents avec les viandes blanches, en particulier les rôtis ou les grillades de porc ou de veau. Ils accompagnent aussi parfaitement des poissons grillés ou cuits au four.

★★

Haricots verts au lard

Pour 4 personnes. Préparation et cuisson : 30 mn

- *750 g de haricots verts frais, fins*
- *4 tranches fines de lard de poitrine fumé*
- *2 échalotes*
- *1 cuil. à soupe de vinaigre*
- *3 cuil. à soupe d'huile d'olive*
- *sel, poivre*

1. Equeutez les haricots, lavez-les et égouttez-les.

2. Faites bouillir de l'eau dans une grande casserole, salez-la et plongez-y les haricots. Laissez frémir pendant 10 mn.

3. Pendant ce temps, ôtez la couenne du lard et coupez-le en carrés. Pelez les échalotes et hachez-les menu.

4. Mettez le lard dans une petite poêle et faites-le revenir à feu doux, jusqu'à ce qu'il perde sa graisse et qu'il soit bien doré. Ajoutez alors les échalotes dans la poêle et faites-les dorer à feu doux. Ajoutez ensuite le vinaigre dans la poêle, mélangez et retirez du feu. Salez légèrement et poivrez abondamment.

5. Lorsque les haricots verts sont cuits, retirez-les de la casserole et égouttez-les dans une passoire. Mettez-les dans un plat creux, arrosez-les d'huile d'olive, mélangez puis ajoutez le contenu de la poêle. Mélangez à nouveau et servez sans attendre.

Croquettes de céleri-rave

Pour 6 personnes. Prép. et cuiss. : 1 h. Repos : 1 h

- 500 g de céleri-rave
- 250 g de pommes de terre
- 50 g de farine
- 25 g de beurre
- sel
- poivre

Pour la cuisson :
- 2 cuil. à soupe de farine
- 1 œuf
- 75 g de chapelure blanche
- 25 g d'amandes effilées
- huile pour friture
- sel, poivre

1. Pelez le céleri-rave et coupez-le en gros cubes. Pelez les pommes de terre et coupez-les en gros cubes. Lavez ces deux légumes, égouttez-les.

2. Faites bouillir de l'eau dans une casserole, salez-la et plongez-y les légumes. Laissez cuire pendant 25 mn, jusqu'à ce que les légumes soient bien tendres.

3. Lorsque les légumes sont cuits, mettez-les dans une passoire et laissez-les égoutter à fond pendant 5 mn. Passez-les ensuite au moulin à légumes, grille fine, ou dans un mixer afin de les réduire en une fine purée. Mettez cette purée dans une terrine et incorporez-y la farine et le beurre en mélangeant avec une spatule. Salez peu et poivrez abondamment.

4. Mettez la farine dans une assiette creuse, ajoutez-y du sel et du poivre et mélangez. Cassez l'œuf dans une seconde assiette creuse, ajoutez-y du sel, du poivre et 1 cuillerée à soupe d'eau et battez le tout à l'aide d'une fourchette. Emiettez les amandes entre vos doigts dans une troisième assiette creuse, ajoutez-y la chapelure et mélangez.

5. Prenez un peu de la préparation contenue dans la terrine entre vos mains et roulez-la en forme de croquette. Passez cette croquette d'abord dans la farine, puis dans l'œuf et enfin dans le mélange chapelure-amandes. Continuez jusqu'à épuisement de la préparation.

6. Rangez les croquettes sur un plat et mettez-les au réfrigérateur. Laissez reposer pendant 1 heure.

7. Au bout de ce temps, faites chauffer l'huile dans une bassine à friture. Plongez-y les croquettes, 4 à 6 à la fois, et laissez-les cuire pendant environ 5 mn, jusqu'à ce qu'elles soient dorées.

8. Retirez les croquettes au fur et à mesure de leur cuisson avec une écumoire, égouttez-les sur du papier absorbant et gardez-les au chaud.

9. Lorsque toutes les croquettes sont cuites, mettez-les sur un plat de service et portez-les à table aussitôt.

Navets aux tomates ★★

Pour 6 personnes. Préparation et cuisson : 45 mn

- 1 kg de navets
- 500 g de tomates mûres
- 2 gousses d'ail
- 1 cuil. à soupe de persil plat ciselé
- 2 oignons
- 1 cuil. à soupe d'huile d'olive
- 2 pincées de sucre
- sel, poivre

1. Pelez les navets, lavez-les et égouttez-les. Coupez-les en cubes de 2 cm de côté.

2. Faites bouillir de l'eau dans une casserole, salez-la, plongez-y les navets et laissez cuire pendant 10 mn.

3. Plongez les tomates dans de l'eau bouillante, égouttez-les, passez-les sous l'eau courante, pelez-les, coupez-les en deux et pressez-les pour en éliminer les graines. Coupez la pulpe en lanières épaisses. Pelez les oignons et l'ail et hachez-les menu.

4. Faites chauffer l'huile dans une sauteuse et faites revenir ail et oignons à feu doux pendant 5 mn, en les remuant avec une spatule. Ajoutez ensuite les tomates, mélangez et laissez cuire à feu vif pendant 5 mn, sans cesser de remuer.

5. Egouttez les navets et ajoutez-les dans la sauteuse, salez, sucrez, poivrez et laissez cuire pendant 10 mn environ, à feu modéré, jusqu'à ce que les navets soient tendres. Pendant cette cuisson, mélangez souvent afin que la préparation n'accroche pas.

6. Lorsque les navets sont tendres, mettez-les dans un plat de service avec leur sauce, parsemez-les de persil et servez tout chaud.

Bâtonnets de carottes sautés

Pour 6 personnes. Préparation : 10 mn. Cuisson : 20 mn

- *1 kg de carottes,*
  pas trop grosses
- *1 oignon*
- *200 g de crème fraîche*
  épaisse
- *2 cuil. à soupe de persil*
  plat ciselé
- *25 g de beurre*
- *sel, poivre*

1. Pelez les carottes, lavez-les et égouttez-les. Coupez-les en tronçons de 4 cm de long puis coupez chaque tronçon en bâtonnets. Pelez l'oignon et hachez-le menu.

2. Faites fondre le beurre dans une sauteuse et faites-y revenir l'oignon à feu doux pendant 3 mn, jusqu'à ce qu'il soit blond. Ajoutez alors les carottes et mélangez les légumes dans le beurre chaud pendant 2 mn. Salez, poivrez et ajoutez la crème. Mélangez, couvrez et laissez cuire à feu très doux pendant 15 mn, en remuant souvent.

3. Au bout de ce temps, ôtez le couvercle de la sauteuse et laissez réduire le fond de cuisson à feu vif, en remuant délicatement, jusqu'à ce que vous obteniez une sauce épaisse. Rectifiez l'assaisonnement.

4. Mettez les carottes et leur sauce dans un plat de service, parsemez-les de persil ciselé et servez sans attendre.

☐ Ces délicieuses carottes accompagneront toutes les viandes grillées ou rôties.

Gratin de chou ★★★

Pour 6 personnes. Préparation et cuisson : 1 h 30

- 1 gros chou blanc
- 250 g de lard de poitrine fumé
- 2 oignons
- 2 gousses d'ail
- 2 œufs
- 1,5 dl de lait
- 50 g de chapelure blanche
- 100 g de gruyère râpé
- 1 cuil. à soupe d'huile
- noix muscade
- sel
- poivre

1. Eliminez les feuilles extérieures abîmées du chou. Réservez 8 grandes feuilles et coupez le chou en quatre ; ôtez-en le centre dur et hachez finement chaque quart de chou, au couteau. Faites bouillir de l'eau dans une casserole, ôtez la partie dure des feuilles réservées puis plongez-les dans l'eau et laissez-les ramollir pendant 5 mn. Egouttez-les dans une passoire, sans les briser.

2. Allumez le four, thermostat 6 (200°). Otez la couenne du lard et coupez-le en fins bâtonnets. Mettez-les dans une casserole, couvrez-les d'eau et portez à ébullition. Retirez ensuite du feu puis passez les bâtonnets sous l'eau courante et égouttez-les.

3. Pelez les oignons et les gousses d'ail et hachez-les menu. Mettez ce hachis dans une sauteuse, ajoutez-y les bâtonnets de lard et faites revenir le tout à feu doux, jusqu'à ce que le lard soit doré. Ajoutez alors le chou haché et faites-le revenir, à feu doux, en remuant avec une spatule, pendant 10 mn. Salez et poivrez pendant la cuisson.

4. Cassez les œufs dans une terrine, ajoutez-y le lait, la chapelure, le gruyère râpé et quelques pincées de noix muscade râpée.

5. Lorsque le chou est blond, versez-le dans la terrine, mélangez bien. Huilez un plat à four, et garnissez-le de 4 feuilles de chou. Mettez au centre de ces feuilles le contenu de la terrine. Posez dessus les 4 autres feuilles en appuyant bien sur les côtés, pour éviter que la farce ne s'échappe à la cuisson.

6. Glissez le moule au four et laissez cuire pendant 45 mn. Retirez du four et laissez reposer pendant 10 mn.

7. Au bout de ce temps, passez une lame de couteau tout autour du gratin et démoulez-le sur un plat de service. Dégustez chaud, tiède ou froid.

Courgettes sautées au citron vert ★★

Pour 4 personnes. Préparation : 20 mn. Cuisson : 30 mn

- 500 g de petites courgettes
- 2 gros oignons
- 2 gousses d'ail
- 1 citron vert
- 20 g de beurre
- 1 cuil. à soupe d'huile d'olive
- sel
- poivre

1. Lavez les courgettes, essuyez-les et coupez-les en rondelles de 1/2 cm d'épaisseur. Pelez les oignons et émincez-les finement. Pelez les gousses d'ail et hachez-les menu. Lavez le citron, essuyez-le et râpez son zeste sur une râpe à épices au-dessus d'un bol. Coupez ensuite le citron en deux, pressez-le et versez le jus obtenu dans le bol.

2. Faites chauffer l'huile dans une sauteuse, ajoutez-y le beurre et, dès qu'il est fondu, faites-y revenir courgettes et oignons pendant 5 mn, en remuant avec une spatule, à feu doux. Ajoutez l'ail, mélangez pendant 1 mn, puis salez, poivrez, couvrez et laissez cuire à feu très doux pendant 25 mn, jusqu'à ce que les courgettes soient très tendres.

3. Lorsque les courgettes et les oignons sont cuits, versez le jus et le zeste de citron dans la sauteuse, mélangez et retirez du feu.

4. Mettez les courgettes sautées au citron vert dans un plat de service et dégustez tout chaud.

☐ Ces courgettes accompagnent particulièrement bien les viandes blanches et les volailles sautées mais elles se marieront également très bien avec les poissons grillés.

Courgettes au gratin

Pour 4 personnes. Préparation et cuisson : 1 h

- *500 g de petites courgettes*
- *1 oignon*
- *2 œufs*
- *250 g de crème fraîche épaisse*
- *50 g de gruyère râpé*
- *50 g de beurre*
- *noix muscade*
- *sel, poivre*

1. Allumez le four, thermostat 6 (200°). Beurrez un plat allant au four avec une noix de beurre prélevée sur la quantité indiquée.

2. Pelez l'oignon et hachez-le menu. Lavez les courgettes, essuyez-les, ôtez-en les deux extrémités et coupez chaque courgette en fines rondelles.

3. Cassez les œufs dans une terrine, ajoutez-y la crème, salez, poivrez et ajoutez plusieurs pincées de noix muscade. Battez le tout à la fourchette et ajoutez-y le fromage. Mélangez.

4. Faites fondre la moitié du beurre restant dans une poêle et faites-y revenir l'oignon pendant 2 mn, en le remuant avec une spatule, jusqu'à ce qu'il soit blond. Ajoutez-le dans la terrine.

5. Faites fondre le reste de beurre dans la poêle et faites-y revenir les rondelles de courgettes pendant 10 mn, à feu doux, jusqu'à ce qu'elles soient blondes et juste tendres. Ajoutez les courgettes dans la terrine.

6. Mélangez bien le contenu de la terrine et versez-le dans le plat beurré. Egalisez la surface du gratin avec une spatule et glissez le plat au four. Laissez cuire pendant 25 mn environ, jusqu'à ce que le gratin soit bien doré.

7. Servez le gratin dans son plat de cuisson, chaud, tiède ou froid.

Un gourmet digne de ce nom ne finira jamais un bon repas sans un délicieux dessert. Grâce à nos recettes, vous réaliserez sans aucun problème les traditionnels desserts de famille comme la « tarte Tatin », le « pithiviers » ou le « baba au rhum » ; mais vous aimerez aussi les douceurs plus simples à préparer et tout aussi exquises que sont les « pêches au vin rouge » ou les « fraises au coulis de framboise ».

★ Sorbet au cassis

Pour 6 pers. Prép. et cuiss. : 15 mn. Réfrigération : 2 h

- *1 kg de cassis frais*
- *300 g de sucre*
- *2,5 dl d'eau*
- *1 citron non traité*

1. Mettez le sucre dans une casserole, ajoutez-y 2,5 dl d'eau et posez la casserole sur feu doux. Portez à ébullition puis retirez la casserole du feu. Immergez la casserole à mi-hauteur dans de l'eau très froide afin d'arrêter la cuisson du sirop.

2. Lavez le citron, essuyez-le et râpez-en le zeste sur une râpe à épices au-dessus de la casserole.

3. Lavez le cassis, épongez-le dans un linge, puis égrappez-le. Passez-le au moulin à légumes, grille moyenne, puis filtrez la pulpe obtenue dans une passoire fine.

4. Lorsque la pulpe de cassis est passée, mesurez le jus recueilli : vous devez en obtenir environ 6 dl. Versez-le dans une terrine, ajoutez-y le sirop parfumé au zeste de citron et mélangez bien.

5. Versez la préparation dans une sorbetière ou dans un bac à glaçons. Dans une sorbetière, le sorbet prendra en 1 heure à 1 h 30. Dans un bac à glaçons, la prise en glace sera plus longue, 2 heures au moins, et le sorbet sera meilleur si vous le remuez avec un fouet 2 fois pendant la première heure. Faites prendre le sorbet dans la partie la plus froide de votre réfrigérateur.

6. Au moment de servir, retirez le sorbet du réfrigérateur et moulez-le avec une cuillère à glace ou à soupe avant de le présenter dans des coupes ou des grands verres.

☐ Vous pouvez décorer ce sorbet de quelques baies de cassis trempées dans de l'eau puis roulées dans du sucre cristallisé.

☐ Si vous réalisez ce sorbet avec du cassis surgelé, n'oubliez pas de le laisser complètement décongeler — 2 à 3 heures à température ambiante — avant de le passer au moulin à légumes.

★★ Sablé aux framboises

Pour 6 pers. Prép. et cuiss. : 1 h. Repos : 30 mn + 1 h

Pour les sablés :
- *75 g d'amandes effilées*
- *100 g de beurre*
- *150 g de farine*
- *75 g de sucre*

Pour la garniture :
- *350 g de framboises*
- *4,5 dl de crème fleurette*
- *50 g de sucre semoule*
- *1 orange non traitée*

1. Préparez les sablés : mettez les amandes dans une poêle à revêtement antiadhésif et faites-les dorer sur feu doux, en remuant la poêle de droite à gauche et en faisant sauter les amandes. Lorsqu'elles sont dorées, mettez-les dans une terrine et laissez-les refroidir.

2. Mettez le beurre dans un saladier, ajoutez-y le sucre et travaillez le tout à la spatule jusqu'à ce que le mélange blanchisse. Tamisez la farine au-dessus du saladier et mélangez.

3. Lorsque les amandes sont froides, passez-les au mixer ou à la moulinette électrique afin de les réduire en une fine poudre. Ajoutez cette poudre dans le saladier et mélangez bien. Roulez la pâte obtenue en trois boules de même taille, mettez-les dans trois sachets « spécial congélation ». Mettez ces sachets au réfrigérateur et laissez reposer la pâte pendant 30 mn.

4. Pendant ce temps, préparez la garniture : réservez quelques framboises pour la décoration et passez les autres au moulin à légumes, grille moyenne. Lavez l'orange et essuyez-la. Râpez son zeste sur une râpe à épices au-dessus d'une terrine. Coupez l'orange en deux et pressez-la ; versez 2 cuillerées à soupe de jus dans la terrine et ajoutez-y la purée de framboises. Mélangez bien.

5. Préparez une chantilly : mettez la crème fleurette bien froide dans un saladier et battez-la au fouet électrique jusqu'à ce qu'elle soit très ferme et qu'elle forme des pics lorsque vous retirez les branches du fouet. Ajoutez-y alors le sucre et battez pendant encore 1 mn. Incorporez à cette chantilly la purée de framboises à l'orange et mettez la préparation au réfrigérateur. Laissez-la refroidir jusqu'au moment de l'utilisation.

6. Au bout de 30 mn de repos de la pâte des sablés, retirez les sachets du réfrigérateur et allumez le four, thermostat 6 (200°). Ecrasez les boules de pâte du plat de la main, puis au rouleau à pâtisserie jusqu'à ce que vous obteniez des disques de 20 cm de diamètre. Etalez des feuilles de papier sulfurisé sur 2 ou 3 plaques à pâtisserie et posez-y les disques de pâte. Tracez, sur l'un des disques, 6 parts.

7. Glissez les plaques au four et laissez cuire pendant 15 mn environ, jusqu'à ce que les sablés soient dorés. Retirez-les alors du four, découpez les 6 parts et laissez refroidir ces sablés sur des grilles à pâtisserie, pendant 1 heure au moins.

8. Au moment de servir, posez un disque de pâte sur le plat de service et tartinez-le de la moitié de la préparation aux framboises. Posez dessus le second disque de pâte et étalez-y le reste de préparation aux framboises. Rangez dessus les 6 parts de sablé et décorez avec les framboises réservées. Dégustez sans attendre.

Clafoutis

Pour 6 personnes. Préparation : 15 mn. Cuisson : 40 mn

- *750 g de cerises mûres et noires de préférence*
- *75 g de beurre mou*
- *125 g de sucre semoule*
- *2 œufs + 1 jaune*
- *2,5 dl de lait*
- *75 g de farine*
- *1 paquet de sucre vanillé*
- *1 pincée de sel*

1. Allumez le four, thermostat 6 (200°). Lavez les cerises, égouttez-les, équeutez-les et dénoyautez-les.

2. Avec une noix de beurre prélevée sur la quantité indiquée, beurrez un plat à four ou un moule, en porcelaine à feu ou en terre vernissée, pouvant juste contenir les cerises rangées les unes à côté des autres, en une seule couche.

3. Après avoir beurré le moule, rangez-y les cerises, puis préparez la pâte : mettez les œufs entiers et le jaune dans une terrine, ajoutez le sucre en pluie et la pincée de sel et travaillez le mélange au fouet à main, jusqu'à ce qu'il blanchisse.

4. Faites fondre le reste du beurre sur feu doux, ajoutez-le dans la terrine, mélangez, puis ajoutez la farine en pluie et le lait ; travaillez la pâte jusqu'à ce qu'elle soit lisse et homogène, puis versez-la sur les cerises.

5. Glissez le moule au four et laissez cuire pendant 40 mn.

6. A sa sortie du four, laissez tiédir le clafoutis, puis saupoudrez-le de sucre vanillé et servez-le tiède dans son plat de cuisson.

☐ Vous pouvez parfumer ce clafoutis de cognac ou de rhum.

Tarte au citron

Pour 6 personnes. Prép. et cuiss. : 1 h. Repos : 30 mn

Pour la pâte :
- *200 g de farine*
- *125 g de beurre*
- *1/2 cuil. à café de sel*
- *1 cuil. à café de sucre*

Pour la garniture :
- *3 œufs*
- *3 gros citrons non traités*
- *200 g de sucre glace*
- *125 g de beurre*
- *100 g de poudre d'amandes*

Pour le moule :
- *10 g de beurre*

1. Préparez la pâte : tamisez la farine et le sel au-dessus du plan de travail, ajoutez-y le sucre et faites un puits au centre. Coupez le beurre en petits morceaux et mettez-le dans le puits. Faites pénétrer la farine dans le beurre en travaillant rapidement, du bout des doigts, et en ajoutant environ 4 cuillerées à soupe d'eau, jusqu'à ce que vous obteniez une pâte lisse et homogène.

2. Roulez la pâte en boule, enfermez-la dans un sachet spécial congélation et mettez-la au réfrigérateur. Laissez-la reposer pendant 30 mn au moins.

3. Préparez la garniture : lavez les citrons, essuyez-les et râpez le zeste de 2 d'entre eux au-dessus d'une terrine. Coupez les 3 fruits en deux, pressez-les et ajoutez le jus obtenu dans la terrine. Travaillez le beurre à la spatule afin de le réduire en pommade.

4. Mettez 150 g de sucre et les amandes dans un saladier, mélangez et ajoutez-y le beurre. Cassez les œufs un à un dans le saladier en mélangeant bien. Ajoutez enfin le jus et le zeste des citrons et mélangez une dernière fois.

5. Lorsque la pâte a reposé 30 mn, retirez-la du réfrigérateur et allumez le four, thermostat 7 (230°). Beurrez un moule à tarte de 26 cm de diamètre. Etalez la pâte au rouleau à pâtisserie et garnissez-en le moule. Versez le contenu du saladier dans le moule.

6. Glissez le moule au four et laissez cuire la tarte pendant 30 mn.

7. Au bout de ce temps, retirez la tarte du four et laissez-la refroidir pendant 5 mn dans son moule.

8. Démoulez ensuite la tarte et posez-la sur un plat de service. Poudrez-la du reste de sucre en le tamisant et servez la tarte tiède ou froide.

Pithiviers

Pour 8 personnes. Préparation : 30 mn. Cuisson : 35 mn

- 600 g de pâte feuilletée
Pour la crème d'amandes :
- 150 g d'amandes
  en poudre
- 150 g de sucre glace
- 150 g de beurre

- 2 petits œufs
- 2 cuil. à soupe de rhum
Pour dorer :
- 1 œuf
- 2 cuil. à soupe de sucre
  glace

1. Préparez la crème d'amandes : coupez le beurre en petits morceaux, mettez-le dans une casserole sur feu très doux ; travaillez le beurre à la fourchette jusqu'à ce qu'il soit réduit en pommade, sans être fondu, puis retirez-le du feu. Mélangez les amandes et le sucre dans une terrine, cassez-y les œufs, mélangez ; ajoutez le rhum et le beurre en pommade et mélangez encore.

2. Allumez le four, thermostat 7 (230°). Coupez la pâte feuilletée en deux parties, l'une légèrement plus grosse que l'autre. Aplatissez la plus grosse, en un cercle de 30 cm de diamètre sur 3 mm d'épaisseur. Mouillez la plaque du four et posez-y le cercle de pâte. Si le cercle n'est pas parfait, renversez un moule à tarte, à bords lisses, sur la pâte sans appuyer et découpez tout autour, le couteau parallèle au bord du moule pour ne pas écraser la pâte.

3. Etalez la crème d'amandes sur la première abaisse de pâte, jusqu'à 1,5 cm des bords, et mouillez ces derniers avec de l'eau.

4. Etalez le reste de la pâte en un disque de mêmes dimensions, mais plus fin, et posez-le sur la crème d'amandes, le côté lisse — celui qui était en contact avec le plan de travail — vers le haut. Egalisez le tour avec un couteau, sans écraser la pâte. Incisez le bord du gâteau de petits coups de couteau espacés de 1 cm.

5. Battez l'œuf en omelette et badigeonnez-en la surface du gâteau, en prenant soin de ne pas le faire couler sur les bords, car cela empêcherait la pâte feuilletée de se développer pendant la cuisson. Avec la pointe d'un couteau, et en n'incisant la pâte que superficiellement, dessinez des arcs de cercle rayonnant vers le centre.

6. Mettez le gâteau au four et laissez-le cuire pendant 30 mn. Au bout de ce temps, il doit être doré et bien gonflé. Si vous le soulevez avec une spatule, il doit être rigide. Retirez-le du four, poudrez-le de sucre glace et remettez-le au four 5 mn.

7. Servez le pithiviers tiède.

☐ Ce merveilleux gâteau peut se transformer en galette des rois. Il suffit de placer une « fève » dans la crème d'amandes. Vous pouvez ne pas le dorer à l'œuf, mais simplement le poudrer de sucre glace après y avoir dessiné des croisillons. En cuisant, le sucre glace fond et caramélise légèrement.

Tarte Tatin

Pour 6 personnes. Préparation et cuisson : 1 h 30 environ

- 1,5 kg de pommes
  pas trop grosses
  reinettes, canada,
  boscoop ou golden
- 100 g de beurre mou
- 120 g de sucre
  en poudre
- 200 g de pâte brisée

1. Etalez les deux tiers du beurre au fond d'un moule à manqué de 24 cm de diamètre. Poudrez cette couche de beurre avec les deux tiers du sucre. Pelez les pommes, coupez-les en six, ôtez-en le cœur et les pépins et rangez-les dans le moule sucré et beurré verticalement, bien serrées : les pommes dépassent le bord du plat, mais elles vont s'affaisser en cuisant. Poudrez-les du reste de sucre et parsemez de beurre en parcelles.

2. Allumez le four, thermostat 7 (230°). Posez le plat sur feu moyen, pendant 10 mn, jusqu'à l'apparition d'un caramel blond.

3. Lorsque les pommes ont cuit 10 mn sur le feu, mettez le plat au four pour 5 mn : ainsi, les pommes cuiront aussi sur le dessus. Retirez ensuite le plat du four.

4. Abaissez la pâte au rouleau sur une épaisseur de 3 mm en un disque de 26 cm de diamètre. Posez-la sur le moule, en la faisant dépasser à l'extérieur, puis passez le rouleau sur le moule pour couper la pâte : la pâte s'affaisse d'elle-même et glisse le long des bords du moule.

5. Remettez le moule au four et laissez cuire pendant 20 mn, jusqu'à ce que la pâte soit bien dorée.

6. Retirez le moule du four et retournez-le sur un plat de service. Laissez tiédir 5 mn, puis servez.

☐ Accompagnez cette tarte de crème fraîche battue.

Fruits au vin blanc

Pour 6 personnes. Préparation et cuisson : 35 mn. Réfrigération : 6 h

- 3 pommes
- 3 poires
- 1 petit ananas
- 1 grappe de raisin noir
- 1/2 litre de vin blanc sec
- 150 g de sucre
- 1 gousse de vanille
- 2 cuil. à soupe de l'alcool de votre choix : Grand Marnier, rhum...

1. Fendez la gousse de vanille en deux dans le sens de la longueur et mettez-la dans une casserole avec le sucre, le vin et 1,5 dl d'eau. Portez à ébullition et laissez frémir pendant 5 mn. Retirez du feu et laissez infuser à couvert pendant que vous préparez les fruits.

2. Pelez les pommes et les poires et coupez-les en quartiers ; ôtez-en le cœur. Coupez l'ananas en deux dans le sens de la longueur, pelez-le et ôtez-en le centre dur. Coupez la pulpe en tranches de 1 cm d'épaisseur. Pelez les grains de raisin et ôtez-en les pépins.

3. Lorsque le vin sucré a infusé, retirez-en la gousse de vanille et posez la casserole sur feu doux. Lorsque le liquide arrive à ébullition, plongez-y délicatement les fruits, sauf les raisins, et laissez frémir pendant 10 mn, à feu très doux. Au bout de ce temps, ajoutez les raisins et laissez frémir pendant encore 5 mn.

4. Retirez les fruits avec une écumoire, délicatement et en les égouttant bien, et rangez-les dans une terrine. Faites réduire le jus de cuisson des fruits à feu vif, jusqu'à ce qu'il soit sirupeux. Hors du feu, ajoutez l'alcool de votre choix.

5. Nappez les fruits de jus et laissez-les refroidir. Mettez ensuite les fruits au réfrigérateur et laissez reposer pendant 6 heures.

6. Servez les fruits bien froids dans des coupes.

Charlotte au chocolat ★★★

Pour 6 personnes. Prép. : 30 mn. Réfrigération : 6 h

- 250 g de chocolat amer
- 125 g de beurre
- 6 œufs
- 6 cuil. à soupe de Grand-Marnier
- 24 biscuits à la cuillère
- 6 cuil. à soupe de jus d'orange
- 1 sachet de sucre vanillé
- 2,5 dl de crème fleurette très froide
- 1 pincée de sel

1. Cassez le chocolat en morceaux et mettez-le dans une casserole. Ajoutez-y 2 cuillerées à soupe d'eau et faites fondre le chocolat au bain-marie.

2. Cassez les œufs en séparant les blancs des jaunes. Réservez les jaunes dans leur demi-coquille et mettez les blancs dans un saladier ; poudrez ces derniers de sel.

3. Lorsque le chocolat est fondu, retirez la casserole du bain-marie et incorporez-y le beurre en noisettes. Mélangez avec une spatule, ajoutez 2 cuillerées à soupe de Grand-Marnier puis les jaunes d'œufs, un à un.

4. Battez les blancs d'œufs en neige ferme puis versez le contenu de la casserole sur les blancs. Mélangez délicatement, en soulevant la préparation avec une spatule pour ne pas casser les blancs.

5. Versez le jus d'orange et le reste de Grand-Marnier dans une assiette creuse. Passez les biscuits un à un dans le mélange précédent puis tapissez-en les parois d'un moule à charlotte de 18 cm de diamètre, légèrement humidifié. Versez-y la mousse au chocolat et lissez-en la surface avec une spatule.

6. Mettez le moule au réfrigérateur et laissez refroidir la charlotte pendant 6 heures au moins.

7. Au moment de servir, retournez la charlotte sur un plat de service. Battez la crème fleurette en chantilly, en y incorporant le sucre vanillé, puis versez-la dans une poche à pâtisserie, munie d'une petite douille cannelée.

8. Décorez la charlotte de chantilly et servez sans attendre.

Bavaroise au café ★★

Pour 6 pers. Prép. et cuiss. : 40 mn. Réfrigération : 4 h

- 1/3 de litre de lait
- 60 g de café fraîchement moulu
- 5 jaunes d'œufs
- 180 g de sucre semoule
- 1/2 litre de crème fleurette très froide
- 6 feuilles de gélatine

Pour le moule :
- 1 cuil. à soupe de sucre

1. Versez le lait dans une casserole, ajoutez-y le café et portez à ébullition. Mélangez, retirez du feu, couvrez et laissez infuser pendant 15 mn.

2. Mettez les feuilles de gélatine dans une terrine, couvrez-les d'eau froide et laissez-les ramollir. Mettez les jaunes d'œufs dans une grande casserole, ajoutez-y le sucre et travaillez le tout à la spatule jusqu'à ce que la préparation blanchisse.

3. Versez le lait au café, lentement, dans la grande casserole, en le passant à travers une passoire fine. Posez la casserole sur feu doux et laissez cuire la crème à feu doux, jusqu'à ce qu'elle nappe une cuillère. Ajoutez alors les feuilles de gélatine, mélangez et retirez du feu.

4. Laissez tiédir la crème pendant quelques minutes puis passez-la dans une passoire au-dessus d'une grande terrine. Laissez refroidir.

5. Mettez la crème fleurette dans un saladier et fouettez-la en chantilly. Lorsque la crème au café est bien froide et commence à épaissir, incorporez-y délicatement la chantilly, en soulevant la préparation avec une spatule.

6. Passez un moule à bavaroise ou tout autre moule de votre choix, à bord haut, sous l'eau courante. Egouttez-le et poudrez l'intérieur de sucre. Versez-y la préparation et lissez-en la surface avec une spatule.

7. Glissez le moule au réfrigérateur et laissez refroidir pendant 4 heures au moins.

8. Au moment de servir, trempez le moule dans de l'eau chaude pendant quelques secondes puis renversez-le sur un plat de service. Servez sans attendre.

☐ Vous pouvez décorer la bavaroise de crème chantilly et de grains de café à la liqueur.

Fraises au coulis de framboise

Pour 4 personnes. Préparation : 20 mn. Réfrig. : 1 h

- 500 g de fraises
- 250 g de framboises
- 1 orange non traitée
- 100 g de sucre
- 1 cuil. à soupe de Grand-Marnier

1. Mettez le sucre dans une petite casserole, ajoutez 3 cuillerées à soupe d'eau et portez à ébullition sur feu doux. Dès le premier bouillon, retirez la casserole du feu et arrêtez la cuisson en plongeant à demi la casserole dans de l'eau très froide.

2. Passez les framboises au moulin à légumes, grille fine, puis incorporez-y le sirop. Passez ensuite le coulis dans une passoire fine au-dessus d'une terrine. Mettez le coulis au réfrigérateur et laissez-le refroidir pendant 1 heure.

3. Equeutez les fraises, passez-les sous l'eau courante, essorez-les. Coupez-les en deux et mettez-les dans une terrine. Lavez l'orange, essuyez-la et râpez-en le zeste au-dessus de la terrine. Coupez-la en deux, pressez-en une moitié et versez le jus obtenu dans la terrine avec le Grand-Marnier. Mélangez. Mettez la terrine au réfrigérateur et laissez refroidir pendant 1 heure environ.

4. Au moment de servir, répartissez les fraises et leur jus dans quatre coupes. Nappez-les de coulis de framboise. Coupez la demi-orange en tranches, chaque tranche en quatre et décorez-en les coupes. Dégustez bien froid.

Pêches au vin rouge

Pour 4 personnes. Prép. et cuiss. : 20 mn. Réfrig. : 1 h

- 4 pêches mûres à point
- 3 dl de vin rouge
- 100 g de sucre
- 1 bâton de cannelle de 4 cm de long
- 50 g d'amandes effilées

1. Versez le vin dans une casserole, ajoutez-y la cannelle et le sucre. Posez la casserole sur feu doux et portez à ébullition. Laissez frémir jusqu'à ce que le vin soit sirupeux puis retirez du feu et laissez refroidir.

2. Mettez les amandes dans une poêle à revêtement antiadhésif et faites-les dorer sur feu doux, en les retournant délicatement avec une spatule. Lorsqu'elles sont dorées, mettez-les dans une terrine et laissez-les refroidir.

3. Pelez les pêches, coupez-les en deux et ôtez-en les noyaux. Coupez chaque demi-pêche en fines tranches et mettez-les dans un saladier. Lorsque le vin est froid, ôtez la cannelle et versez-le sur les pêches. Mélangez délicatement et mettez au réfrigérateur. Laissez refroidir les pêches au vin pendant 1 heure.

4. Au moment de servir, répartissez les pêches et leur jus dans quatre coupes. Parsemez-les d'amandes effilées grillées et dégustez bien froid.

☐ Vous pouvez servir ces pêches avec des biscuits à la cuillère, des tuiles, des cigarettes russes…

Gâteau de crêpes à l'abricot

★★★

Pour 6 personnes. Préparation et cuisson : 45 mn

Pour la pâte à crêpes :
- 125 g de farine
- 3 œufs
- 50 g de beurre
- 2 cuil. à soupe d'huile
- 1/2 cuil. à café de sel
- 1 sachet de sucre vanillé
- 1 cuil. à soupe de rhum
- 3,5 dl de lait

Pour la garniture :
- 1 kg d'abricots bien mûrs
- 4 cuil. à soupe de liqueur à l'abricot
- 75 g de sucre
- 100 g de macarons

Pour servir :
- crème fleurette ou crème fraîche épaisse

Pour la cuisson :
- 25 g de beurre

1. Préparez la pâte à crêpes : faites fondre le beurre dans une petite casserole. Mettez dans le bol d'un mixer le sel, le sucre, l'huile, le rhum, le lait, la farine, les œufs et le beurre fondu. Faites tourner l'appareil à petite vitesse pendant 1 mn puis versez la pâte dans une terrine en la passant à travers une passoire fine.

2. Préparez la garniture : versez 1 dl d'eau dans une casserole, ajoutez-y le sucre et portez à ébullition, sur feu doux. Lavez les abricots, essorez-les, coupez-les et ôtez-en les noyaux. Plongez les abricots dans le sirop et laissez mijoter pendant 10 mn, en mélangeant de temps en temps.

3. Lorsque les abricots sont cuits, retirez-les de la cas-serole avec une écumoire — réservez-en quelques-uns pour la décoration — et passez le reste au mixer, jusqu'à ce que vous obteniez une purée lisse. Versez la liqueur à l'abricot dans le sirop, mélangez et versez dans une saucière.

4. Faites cuire les crêpes : faites fondre le beurre dans une crêpière ou une poêle de 20 cm de diamètre puis versez-le dans un bol. Il vous servira à beurrer l'ustensile avant de cuire chaque crêpe. Versez une louche de pâte dans la poêle et faites cuire les crêpes 10 secondes de chaque côté. Mettez-les au fur et à mesure sur une assiette, posée sur une casserole d'eau bouillante. Vous obtenez environ 18 crêpes.

5. Réservez quelques macarons pour la décoration, et émiettez les autres, puis incorporez-les à la purée d'abricots.

6. Posez une crêpe sur un plat de service et tartinez-la d'un peu de purée d'abricots, posez dessus une autre crêpe et continuez ainsi jusqu'à épuisement des ingrédients, en terminant par une crêpe. Décorez avec les abricots et les macarons réservés et servez sans attendre, avec le sirop et la crème à part.

☐ **Variante :**

Crêpes suzette (photo de la couverture). Préparez 18 crêpes comme il est indiqué dans la recette précédente.

10 mn avant de servir, faites fondre 100 g de beurre dans la poêle où vous avez fait cuire les crêpes, ajoutez 100 g de sucre, 2 cuillerées à soupe de liqueur à l'orange ou à la mandarine, 1 cuillerée à soupe de cognac, le zeste râpé d'une orange ou de 2 mandarines, ainsi que le jus de ces fruits. Posez la poêle sur feu vif et laissez cuire pendant 1 mn, jusqu'à ce que vous obteniez un sirop épais. Baissez la flamme et passez les crêpes une à une dans ce sirop et posez-les, pliées en quatre, dans un grand plat tenu au chaud. Faites chauffer 4 cuillerées à soupe de la liqueur que vous avez choisie, et portez-la à table, avec les crêpes. Versez la liqueur chaude sur les crêpes, flambez et, dès que la flamme est éteinte, servez.

Baba au rhum aux fruits frais

Pour 6 personnes. Préparation : 15 mn. Repos : 1 h. Cuisson : 25 mn. A préparer la veille.

- *125 g de farine*
- *1 sachet de levure lyophilisée*
- *1 cuil. à soupe de sucre*
- *3 cuil. à soupe de lait concentré non sucré*
- *2 œufs*
- *50 g de beurre*
- *3 pincées de sel*

Pour le sirop :
- *250 g de sucre*
- *1 dl de rhum ambré*

Pour la garniture :
- *1 banane mûre à point*
- *150 g de fraises*
- *150 g de framboises*

Pour le moule :
- *10 g de beurre*

1. Mettez le sucre dans un verre de 2 dl de contenance, ajoutez-y 4 cuillerées à soupe d'eau tiède, mélangez puis ajoutez la levure en pluie. Laissez reposer pendant 5 mn, jusqu'à ce que la levure ait gonflé et atteigne les bords du verre.

2. Réduisez le beurre en pommade en le travaillant avec une spatule. Faites tiédir le lait dans une petite casserole.

3. Tamisez la farine dans une terrine, faites un puits au centre, cassez-y les œufs, ajoutez le sel, le lait, la levure et mélangez le tout à la spatule. Lorsque la préparation est homogène, ajoutez le beurre et mélangez encore, en soulevant la pâte avec la main, le plus haut possible et en la faisant retomber sur le plan de travail.

4. Beurrez un moule en couronne de 24 cm de diamètre et versez-y la pâte. Laissez-la gonfler pendant 1 heure dans un endroit tiède, jusqu'à ce qu'elle atteigne les bords du moule.

5. Au bout de ce temps, allumez le four, thermostat 6 (200°). Dès qu'il est chaud, glissez-y le moule et laissez cuire pendant 25 mn.

6. Pendant ce temps, préparez le sirop : mettez le sucre dans une casserole, ajoutez-y 1/2 litre d'eau et portez à ébullition. Retirez aussitôt du feu, laissez tiédir puis ajoutez le rhum.

7. Lorsque le gâteau est cuit, retirez le moule du four, démoulez le gâteau sur une grille posée sur une assiette. Arrosez le baba de sirop, récupérez le sirop tombé dans l'assiette et versez-le à nouveau sur le baba. Continuez jusqu'à ce que le baba soit très imbibé et ait absorbé tout le sirop.

8. Mettez le baba au réfrigérateur et laissez-le reposer pendant 24 heures.

9. Au bout de ce temps, pelez la banane et coupez-la en fines rondelles. Equeutez les fraises, lavez-les et coupez-les en deux. Mettez ces fruits, avec les framboises, au centre du baba et servez.

☐ Vous pouvez accompagner ce baba de crème pâtissière et de chantilly.

★★★

Tarte aux pruneaux

Pour 6-8 personnes. Préparation : 1 h la veille. Cuisson : 35 mn

Pour la pâte :
- *250 g de farine*
- *125 g de beurre mou*
- *75 g de sucre*
- *1 œuf*
- *2 pincées de sel*

Pour la garniture :
- *300 g de pruneaux dénoyautés*
- *1/2 litre de lait*
- *4 jaunes d'œufs*
- *125 g de sucre*
- *60 g de farine*
- *50 g de beurre*
- *1,5 dl de vin blanc sec*
- *2 cuil. à soupe de gelée de groseilles*
- *2 cuil. à soupe de rhum ambré*

Pour le moule :
- *10 g de beurre*

1. La veille, préparez la pâte : tamisez la farine et le sel sur le plan de travail, faites un puits au centre, cassez-y l'œuf, ajoutez le beurre en morceaux et le sucre. Travaillez le tout du bout des doigts, jusqu'à ce que vous obteniez une pâte lisse et homogène. Roulez la pâte en boule, mettez-la dans un sachet spécial congélation et mettez-la au réfrigérateur.

2. Préparez la crème : faites bouillir le lait dans une casserole, puis retirez-le du feu. Mettez les jaunes d'œufs dans une casserole plus grande, ajoutez-y le sucre et battez le tout au fouet jusqu'à ce que le mélange blanchisse. Ajoutez la farine, en la tamisant, et mélangez pendant 1 mn. Versez peu à peu le lait chaud, sans cesser de remuer, puis posez la casserole sur feu doux. Laissez cuire sans cesser de mélanger, jusqu'au premier bouillon. Retirez ensuite la casserole du feu, ajoutez le rhum, versez la crème dans une terrine, laissez-la refroidir en la remuant de temps en temps. Lorsqu'elle est froide, mettez-la au réfrigérateur.

3. Mettez les pruneaux dans un bol, ajoutez le vin, mélangez, couvrez et laissez reposer.

4. Le lendemain, retirez la pâte du réfrigérateur et allumez le four, thermostat 7 (230°). Beurrez un moule à tarte de 28 cm de diamètre. Etalez la pâte au rouleau à pâtisserie et garnissez-en le moule. Posez une feuille de papier sulfurisé ou d'aluminium sur le fond de tarte et garnissez-le de haricots secs.

5. Glissez le moule au four et laissez cuire pendant 20 mn. Retirez ensuite les haricots et le papier et laissez cuire pendant encore 5 mn, jusqu'à ce que le fond de tarte soit doré. Retirez du four, démoulez et laissez refroidir le fond de tarte sur une grille.

6. Lorsque le fond de tarte est froid, garnissez-le de crème. Rangez dessus les pruneaux. Faites fondre la gelée dans une casserole sur feu doux, avec 2 cuillerées à soupe d'eau, puis laissez tiédir.

7. Répartissez la gelée sur les pruneaux, en l'étalant avec un pinceau, et servez sans attendre.

Table des recettes

Les recettes présentées dans cet ouvrage sont, en général, d'une réalisation facile. Un symbole indique pour chacune d'elles son degré de facilité :
★ très facile - ★ ★ facile - ★ ★ ★ difficile.
Dans la table des recettes, les temps de préparation et de cuisson sont additionnés afin de vous donner une idée du temps nécessaire à la confection de chaque recette. Ce temps est donné à l'exclusion des temps de marinade, de réfrigération, de trempage et de repos. Les indications de thermostat sont données sur la base d'une graduation de 1 à 10.

Vie Pratique. Auteur : Elisabeth Scotto. Photos : Gina Harris. Styliste : Antonio Gaunt. 1re édition, dépôt légal octobre 1983. N° d'éditeur : 146. ISBN : 2-7318.0096.8. Photocomposition : S.C.P., Bordeaux. Imprimé par Mandarin Publishers Ltd. à Hong Kong.